Le Pourquoi des choses
Tome II

Le Pourquoi des choses, tome I

Anne Pouget

Le Pourquoi des choses
Origine des mots,
expressions et usages curieux
Tome II

le
cherche
midi

Avertissement

L'auteur se défend d'être historienne de la langue française (elle est médiéviste) et ne prétend aucunement détenir la science infuse en matière d'étymologie ; les réponses peuvent parfois varier selon les sources : voulant faire de cet ouvrage un guide simple et pratique, accessible à tous, nous avons choisi de ne pas nous appesantir sur les variantes pour nous en tenir à l'essentiel.

Les Pourquoi de la Religion (suite)

Pourquoi l'hostie est-elle ronde et mince?

L'hostie (du latin *hostia*, « victime ») a remplacé le pain de messe, que l'on se partageait pour commémorer la Cène.

Saint Thomas d'Aquin explique que « la petitesse de l'hostie signifie l'humilité, sa rondeur l'obéissance parfaite, sa minceur l'économie vertueuse, sa blancheur la pureté, son absence de

levain la bienveillance, sa cuisson patience et charité, l'inscription qu'elle porte la discrétion spirituelle, sa circonférence la perfection consommée ». L'hostie était jadis utilisée à d'autres fins que celle qu'on lui connaît aujourd'hui : les femmes l'emportaient chez elles pour se faire aimer de leur mari, le paysan la cachait dans ses ruches, un autre en semait dans le jardin contre les chenilles, on la plaçait sous sa paillasse pour se protéger de la maladie...

Pourquoi les saints ont-ils la tête surmontée d'une auréole ?

Pour protéger les statues des dégradations provoquées par les déjections des pigeons, les bâtisseurs d'églises et de cathédrales les coiffèrent d'une coupelle plate. Adoptées par les peintres dès le Ve siècle et assimilées à l'Esprit saint, elles devinrent le symbole de la sainteté, la perfection, la lumière de Dieu qui nimbe les êtres qu'Il inspire. Cette particularité se généralisa à partir du VIIe siècle. D'autres l'assimilent à l'aura...

ST PIGEON

Pourquoi le cimetière était-il autrefois accolé à l'église ?

Le cimetière était attenant à l'église afin d'associer les défunts aux prières eucharistiques. Le mur du chœur était percé d'un oculus, dans lequel on plaçait une hostie. Une lampe, dont la lumière filtrait par l'oculus, était appendue à l'extérieur : c'était la **lanterne des morts**, dont la lueur rappelait à tous la nécessité de prier pour les défunts.

La tradition de la lanterne des morts (petite tour de pierre) se rattachait elle-même à la coutume très ancienne des lampes ou bougies placées devant les tombeaux, caveaux ou catacombes, destinées à chasser les mauvais esprits.

Pourquoi célèbre-t-on le jour des Morts?

Dès le VIIIe siècle on commémorait individuellement l'anniversaire des morts et, jusqu'au XIIIe siècle, on épelait le nom des morts pour les intentions de prière au cours de la messe. Mais ils devenaient si nombreux que, bientôt, on déposa la liste des noms sur l'autel ; le prêtre la plaçait également dans le missel et l'on priait globalement pour tous les défunts, sans plus les nommer.

Enfin, l'Église leur dédia une journée, au cours de laquelle on priait pour tous les morts de l'année écoulée ; on l'accola à la fête de tous les saints (morts pour leur foi), la Toussaint.

Pourquoi le chapelet est-il aussi appelé « rosaire »?

Le mot « chapelet » tire son nom de *chapel*, ancienne forme de « chapeau ». Au Moyen Âge, alors que la foi imprégnait le quotidien, chaque maison possédait une statuette de la Vierge, sur laquelle on posait un *chapel* (couronne) de roses. Chaque fleur composant la guirlande servait à égrener les prières, qu'on récitait en boucle. Mais ce procédé étant peu commode, on imagina un moyen plus pratique de compter les prières, en remplaçant les roses par des noyaux de fruits ou des boules de bois que l'on enfilait sur un cordon. Ce procédé, appelé *petit chapel* ou « chapelet », se développa durant les croisades et, après avoir été d'usage en Orient, il se répandit en Europe. Voilà pourquoi les chapelets portent encore le nom de « rosaires ».

Pourquoi donne-t-on de l'argent à la quête du dimanche ?

L'autorité de l'Église montant en puissance, elle décida de s'opposer aux abus du pouvoir temporel. Pour limiter les batailles incessantes et les ravages causés aux cultures, elle instaura les **trêves de Dieu** (pendant les jours saints), ainsi que la **paix de Dieu** (trêve concernant de longues périodes saintes, comme le **carême** ; interdit de toute violence sur des lieux déclarés sacrés). En contrepartie de cette protection on payait la **dîme**, ou impôt de l'Église, dont on s'acquittait en nature : œufs, blé, pain, poule... en partie redistribués aux malheureux. Les fidèles fournissaient également le pain et le vin, qu'ils apportaient en procession à l'autel et qu'ils offraient à Dieu. Aujourd'hui, pour des raisons de commodité, on donne une pièce.

Pourquoi quelque chose arrive-t-il « comme mars en carême » ?

Dire d'une chose qu'elle arrive « comme mars en carême », c'est dire qu'elle ne manque jamais d'arriver, que c'est inévitable, à l'instar du mois de mars qui arrive toujours en temps de carême.

Pourquoi fait-on « amende honorable » ?

« Faire amende honorable » consistait, pour l'accusé, à confesser publiquement ses fautes ou le crime pour lequel il avait été jugé ; pieds nus, en simple tunique blanche et un cierge à la main, il demandait humblement pardon au petit peuple.

De manière générale, la foule se pressait nombreuse pour assister à l'humiliation des « grands ». Jacques Cœur, au XVe siècle, en fut un exemple confondant : l'argentier du roi, aux richesses incalculables, et à qui l'on doit le célèbre « À cœur vaillant rien d'impossible », avait vu tous ses biens saisis avant de paraître ainsi humilié devant le peuple pour lui demander pardon.

En effet, en guise de punition, les juges fixaient une amende (pénalité en argent, confiscation des biens) ; il est à noter que les juges étaient eux-mêmes passibles d'une amende si l'on estimait qu'ils avaient mal jugé l'affaire (pour éviter la complaisance).

Pourquoi dit-on de quelqu'un qu'il est « mis à l'index » ?

Sous l'Inquisition, on dressa des listes de gens peu recommandables, classés comme « hérétiques », que l'on coucha sur une liste, ou *index prohibitorum*, détaillant les noms des personnes ou des ouvrages condamnés par l'Église. De fait, il suffisait à quelqu'un d'avoir été cité au cours d'une confession pour figurer sur la liste noire. Parallèlement, tout ce qui était exclu ou désapprouvé par l'Église fut « mis à l'*index* », c'est-à-dire montré du doigt.

Pourquoi fête-t-on Noël le 25 décembre ?

Malgré la croyance populaire, Jésus n'est pas né un 25 décembre. Cette date fut choisie comme un symbole puisqu'elle marque à peu de jours près le solstice d'hiver (après le 25, les jours rallongent). Placer la naissance du Sauveur à ce moment-là était une manière de souligner que le Christ arrive au cœur de la plus longue nuit, afin de chasser les ténèbres.

Charlemagne fit de Noël une fête pour les enfants.

Pourquoi la date de Pâques change-t-elle d'une année sur l'autre ?

Comme on a symboliquement institué Noël au solstice d'hiver, la Résurrection a été placée (tout aussi symboliquement) au printemps, et la Pentecôte au cœur de l'été.

Pâques, dont la date est mobile par décision conciliaire, est calculé d'après la lunaison du 21 mars et se situe entre le 22 mars et le 25 avril.

Pourquoi jette-t-on une poignée de terre sur le cercueil lors d'un enterrement ?

Dans les temps anciens, on enterrait soi-même les siens en creusant personnellement leur tombe. Si des services ont pris le relais de nos jours, on marque symboliquement cette mise en terre par une poignée de terre que l'on jette sur le cercueil.

Abbaye, prieuré, couvent, monastère, collégiale, congrégation, pourquoi toutes ces distinctions et comment s'y retrouver ?

De fondation royale, l'« abbaye », riche et grande communauté, relève presque toujours de l'ordre de saint Benoît ; dans les « prieurés », dépendant de l'abbaye, on envoyait quelques moines, placés sous la direction d'un prieur ; le nom de « couvent » s'applique aux maisons religieuses d'une importance secondaire ; « monastère » désigne toute réunion de moines ou de nonnes liés par un même ordre monastique ; dans les « collégiales » vivaient en commun des **chanoines réguliers** (c'est-à-dire soumis à la vie conventuelle ou à la discipline monastique) ; enfin, on désignait sous le nom de « congréga-tion » des parties d'un ordre obéissant à une règle spéciale. Quant au mot **abbé**, il est tiré du syriaque (avec le sens de père) et désigne le responsable d'un monastère d'hommes ou de femmes **(abbesse)**.

Pourquoi l'« Agnus Dei » ?

L'expression *Agnus Dei* (« agneau de Dieu »), qui constitue les premiers mots d'une prière liturgique, désignait des petites figurines de cire représentant un agneau que le pape bénissait à des époques déterminées, mais également des médailles où figure l'agneau, en usage dès le XIVᵉ siècle. Le pape Pie V en offrit aux Français qui avaient secouru l'île de Malte menacée par les Turcs, au XVIᵉ siècle.

Pourquoi la « sainte ampoule » avait-elle tant de valeur ?

On appelait ainsi le vase où était renfermée l'huile sainte dont on se servait pour le sacre des rois. Elle a été brisée en 1793 en place publique à Reims.

Pourquoi la symbolique de l'alliance dans le mariage ?

Utilisé par les premiers rois francs comme par les évêques, l'anneau servait, dans les premiers siècles de notre histoire, à sceller les lettres et à leur donner un caractère d'authenticité et d'autorité. Les papes ont conservé l'usage de sceller leurs lettres par l'anneau qu'ils portent au doigt et, comme cet anneau représente saint Pierre pêcheur, on l'appelle **anneau du pêcheur**.

L'anneau, signe de reconnaissance mais aussi symbole d'union, se généralisa et prit le pas sur les cadeaux d'épousailles de l'époux à sa femme, comme le rite du *treizain* (pièces de monnaie données à bénir, lointain vestige des **treize deniers** versés au temps des Francs du Ve siècle par le fiancé aux parents de sa fiancée comme prix du transfert de tutelle) ou les médailles de mariage (pièces spéciales réservées aux mariages, remplaçant symboliquement le véritable argent).

Dans les plus anciens rituels de l'Église est attestée la bénédiction de l'anneau au moment du mariage. Selon ce rituel, le prêtre le plaçait à différents doigts en prononçant cette formule :

- (Au pouce) : *Par cet anneau l'Église enjoint*
- (À l'index) : *que nos deux cœurs en un soient joints*
- (Au majeur) : *par vrai amour et loyale loy*
- (À l'annulaire) : *paour tant je te mets en ce doy.*

Puisque nous en sommes aux sceaux, parlons de la **bulle papale**, expression bien poétique qui laisserait à penser que le pape fait des bulles ; en fait, le terme s'applique ordinairement à certains actes pontificaux marqués d'un sceau en plomb appelé *bulla*.

Pourquoi saint Glinglin n'était-il pas un saint ?

Glinglin n'a jamais été un saint, mais... le glin-glin d'une cloche. Ainsi, « remettre à la saint-glinglin » est une façon de dire que l'on repousse la solution d'un problème au moment où sonnera la trompette du Jugement dernier...

Pourquoi porte-t-on le deuil durant une année ?

Selon l'usage, lorsqu'un être mourait, on faisait une messe à un jour, à un mois, à un an, pour assurer le repos de son âme ou pour l'aider à « passer » du purgatoire au paradis. Durant ce temps on s'habillait de noir, signe visible du deuil, pour marquer son chagrin personnel, mais également pour avertir les autres de « laisser en paix » la personne éprouvée. L'année écoulée, à la commémoration de ce qu'on appelait « le service du bout de l'an », l'âme était libérée, la personne endeuillée reprenait sa vie sociale et quittait l'habit noir.

Pourquoi les gens se signaient-ils en croisant un cortège funèbre ?

À une époque encore proche de la nôtre, on avait pour coutume de se signer au passage d'un cortège funèbre ; ce rituel n'était pas destiné au défunt mais à soi-même : c'était une manière de se protéger de « la mort qui passe », d'éloigner de soi le mauvais œil et d'invoquer la protection divine.

Pourquoi le fruit défendu mangé par Ève est-il une pomme ?

C'est une homonymie latine qui est à l'origine de l'équivalence établie entre la pomme et le fruit défendu. Le texte biblique ne cite que « l'arbre de la connaissance », sans plus de précision ; la proximité phonétique entre *malus* (« mauvais », « le mal ») et *malus* (« pommier ») a fait naître cette imagerie idiomatique et fait croquer une pomme à Ève sous le pinceau des grands peintres, ou au gré de traductions hasardeuses.

Quant à la **pomme d'Adam,** cette proéminence cartilagineuse logée dans la gorge, elle doit son nom à Adam qui, ne pouvant résister à la tentation, croqua le fruit tendu par Ève : le morceau lui resta en travers du gosier, témoignant de sa faute.

Pourquoi dit-on qu'il vaut mieux « être en odeur de sainteté » ?

Pour les chrétiens, la manière de reconnaître un saint était l'odeur agréable dégagée par son corps après le décès. Preuves de perfection divine, odeur agréable et sainteté allaient de pair. Ne pas être « en odeur de sainteté » est une autre manière de dire qu'on ne s'est pas attiré les grâces divines.

Pourquoi dit-on d'une fille qu'elle est « canon » ?

Il y eut une telle profusion de textes relatant la vie du Christ qu'il fallut, à un moment, faire le tri dans tous ces « évangiles ». Vers l'an 200, l'Église entreprit un long travail pour fixer la liste des livres authentiques et éliminer tous les écrits faussement attribués aux apôtres. C'est le synode de Rome de 382, sous le pape Damase, qui fixa cette liste officielle ou « Canon ». Ainsi, les textes dits canoniques sont ceux que l'Église a officielle-

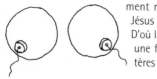

ment reconnus comme « inspirés » par Jésus et s'approchant de la perfection. D'où la dénomination de « canon » pour une fille dont le corps répond aux critères de la perfection (plastique).

Pourquoi aime-t-on « avoir voix au chapitre » ?

Au sein de l'Église, l'évêque était assisté d'un collège de religieux qui formaient le conseil, sollicité pour toute discussion sur des sujets ou règlements internes. Ces réunions, qui avaient lieu soit au collège, soit en la cathédrale, prirent le nom de « chapitre » : il y avait donc des chapitres collégiaux et des chapitres cathédraux.

Excepté les servants et les novices, chaque religieux avait le droit d'exprimer son opinion, qui comptait pour un vote... Chacun avait donc « voix au chapitre ». Cette expression nous est restée pour signifier que l'on a son mot à dire dans une décision à prendre.

Pourquoi débat-on en son « for intérieur » ?

Le forum était la place centrale des villes antiques, le lieu où le peuple se réunissait pour débattre des affaires. On y rendait également la justice.

Avec l'avènement de la chrétienté, qui prit possession des affaires spirituelles, on introduisit la distinction entre chose publique (commerce, droit, etc.) et chose confidentielle (l'âme, le spirituel). Ainsi l'on débattit des choses publiques sur le forum extérieur et des choses privées dans l'église (confession, pénitence), c'est-à-dire dans le « forum intérieur ». Le terme « for (forum) intérieur » nous est resté, qui désigne le débat qu'on a avec sa propre conscience.

Pourquoi les cardinaux se réunissent-ils en « conclave » ?

Cum clave (« à clé ») désigne le huis clos des cardinaux lors de l'élection d'un nouveau pape.

À l'origine, ecclésiastiques et laïques élisaient un nouveau pape dans un lieu public. L'autorité impériale y mettant son grain de sel, le synode du Latran, en 1059, stipula que seuls les cardinaux pourraient être électeurs, toujours dans un lieu public. Mais les électeurs débattaient trop longuement et se laissaient souvent corrompre. En juillet 1216, exaspérés, les habitants de Pérouse décidèrent de brusquer les cardinaux en les enfermant à clé : le pape Honorius III fut élu en deux jours seulement. En 1241, deux mois de tergiversations divisèrent les cardinaux après la mort de Grégoire IX, et le sénateur Matteo Rosso Orsini enferma lui aussi les cardinaux ; Célestin IV, nommé pape, ne gouverna l'Église que quinze jours. Il s'ensuivit une période troublée qui aboutit, en 1268, aux élections les plus longues de l'histoire de l'Église catholique : trois années de discussions furent nécessaires pour élire Grégoire X. C'est ce pape qui, instruit par l'expérience, ordonna la clôture *cum clave* des cardinaux à chaque élection pour éviter les pressions du « ventre » et de la « poche ». Tout contact avec l'extérieur devenant interdit, la discipline étant spartiate, les cardinaux n'avaient qu'à se presser s'ils voulaient recouvrer liberté et fastes. Il suffit d'une journée pour élire Innocent V.

Pourquoi parle-t-on d'« auberge espagnole » ?

C'est le pèlerinage de Saint-Jacques-de-Compostelle qui a donné naissance à cette expression : les pèlerins, qui affluaient du monde entier, faisaient halte, le temps d'un repas ou pour la nuit, dans l'une des innombrables auberges d'Espagne, où l'on entrait et sortait à loisir, parlant toutes les langues, venant de tous les milieux sociaux.

Les Pourquoi des Animaux

Pourquoi « cancan » est-il synonyme de « commérage » ?

Au XVIe siècle, sous le règne de Charles IX, il y eut à l'université de Paris de violentes disputes pour définir une fois pour toutes la prononciation des mots latins, dont on prit pour exemples : *quamquam* (« quoique »), *quisquis*, *quodquod*. Les irréductibles s'accrochaient à la phonétique originelle : *kouamkouam*, *kouis-kouis*, *kouodkouod* ; d'autres prônaient l'adoption de *kuamkuam*, *kuiskuis*, *kuodkuod*, et les plus modernes préféraient *camcam*, *kiskis* et *kodkod*. À l'issue de longs et houleux débats, chacun resta sur sa position. Les docteurs puristes, attelés à l'ancien *kouamkouam*, se moquèrent des adeptes du *camcam* en les traitant de latinistes de basse-cour, les comparant aux canards et aux poules qui se rallient pour mêler à grand bruit leurs can-can et leurs cot-cot. Le latin tombé en désuétude, on attribua les « cancans » aux commères qui s'attroupent pour relayer les nouvelles du quartier.

Pourquoi dit-on de quelqu'un qu'il est « un ours mal léché » ?

On dit d'un homme bourru et solitaire que c'est un « ours ». On le qualifie de « mal léché » lorsqu'en outre il est mal élevé, grognon, désagréable, par allusion à l'élevage de l'ourson, que sa mère garde auprès d'elle et qu'elle lèche affectueusement jusqu'à ce qu'il soit en âge de vivre sa vie. Un ours que sa mère a abandonné jeune n'a pas été suffisamment léché, c'est-à-dire, en clair, éduqué par sa mère.

Pourquoi a-t-on donné à un petit insecte parasite le nom de « punaise » ?

« Punaise », du bas latin *putire* (« puer ») et *nasus* (« nez »), désignait tout lieu puant. Ce nom générique devint celui du petit insecte hémiptère piqueur qui, écrasé, dégage d'insupportables remugles d'alcool écossais.

Pourquoi se range-t-on « à la queue leu leu » ?

Leu n'est autre que le « loup » de l'ancien français et « queue leu leu » est l'altération de *queue le leu le leu* (« queue du loup le loup »), la « file indienne » n'ayant pas encore été inventée, faute d'Amérique, pas encore découverte. Les loups, lorsqu'ils couraient en bande, se suivaient en file, la tête de l'un derrière la queue de l'autre : ils avançaient à *queue le leu le leu*.

Pourquoi le mot « dada » pour parler d'une marotte ?

Pour presser les chevaux, les cochers faisaient claquer leur fouet en criant « Hue ! » ou « Dia ! dia ! » selon qu'ils voulaient aller à droite ou à gauche. À l'époque où l'électronique n'existait pas encore, « le cheval » était le jeu favori des enfants, qui passaient de la chaise à bascule pour les plus petits au cheval à bascule – ou au simple bâton surmonté d'une tête de cheval pour les moins riches. Imitant les cochers, les enfants criaient « Da, da ! » à leur animal de bois. Cette occupation enfantine donna lieu à une métaphore signifiant « jeu, passe-temps préféré ».

Pourquoi faut-il « ménager la chèvre et le chou » ?

« Ménager la chèvre et le chou », c'est conserver de bons rapports avec deux adversaires, ne se fâcher avec aucun, parce que l'un comme l'autre, un jour, pourraient être utiles. Ce dicton a pour origine une devinette ancestrale : un homme doit faire passer dans son bateau un loup, une chèvre et un chou, mais ne peut les passer que séparément. Comment faire pour qu'en son absence la chèvre ne mange pas le chou et que le loup ne mange pas la chèvre ?

Pourquoi dit-on de quelqu'un qu'il est un « bouc émissaire » ?

Dans la Bible, les Juifs fêtaient l'Expiation *(Yom Kippour)* en sacrifiant un bouc baptisé Azazel (« l'émissaire ») : après l'avoir symboliquement chargé de tous les péchés des fils d'Israël, on le chassait aux confins du désert.

Le « bouc émissaire » des chrétiens désigna bientôt une personne que l'on chargeait de tous les reproches et qui servait d'intermédiaire entre les hommes et Dieu.

Pourquoi traite-t-on les mauvais élèves de « cancres » ?

Le « cancre » ou « crabe », animal des mers, se déplace en biais ou à reculons au lieu d'avancer droit. D'où le mot « cancre » pour désigner le mauvais élève qui, au lieu d'avancer dans ses études, part en biais ou recule, finissant par se retrouver bon dernier.

Pourquoi parle-t-on de « mémoire d'éléphant » ?

Les éléphants sont connus pour avoir une mémoire prodigieuse : ils reconnaissent le barrissement de plus de cent de leurs congénères, auxquels ils répondent. Des études ont également prouvé que deux ans après le décès d'un membre de sa famille, la femelle reconnaît son barrissement sur un enregistrement sonore.

Pourquoi les filles de mauvaise vie étaient-elles appelées « grues » ?

Lorsque l'on attend debout, les jambes ont vite fait de se fatiguer et, pour les soulager, on s'adosse volontiers à un mur en se tenant sur une seule jambe, l'autre étant repliée. On dit alors, en parlant de cette position de repos, **faire le pied de grue**, par allusion à l'attitude des grues se tenant longuement sur une seule patte. Ainsi les prostituées, qui prennent souvent cette position d'attente, ont-elles été appelées « grues », sobriquet qui s'est généralisé à toutes les filles qu'on dit « faciles ».

Pourquoi n'aime-t-on pas être « le dindon de la farce » ?

Il n'est pas question ici de la farce qui sert à préparer la dinde de Noël, mais de la comédie bouffonne telle qu'on la jouait au Moyen-Âge. Dans ces comédies, Dindon était le nom usuel donné au personnage immanquablement berné par son entourage. « Être le Dindon de la farce » devint bien vite une expression à la mode ; de nos jours encore, elle évoque la victime d'une plaisanterie, celui qui fait les frais des moqueries des autres.

Pourquoi le chant du cygne est-il connoté de tristesse ?

Le cygne, dit la légende, salue sa mort prochaine par ses accents les plus sublimes. Pline, et bien d'autres, ont pourtant crié à la contradiction, rappelant que la voix du cygne est rauque et aussi dissonante qu'un cri d'oie mâtiné de corne de brume.

Mais la légende a fait de cet animal un barde merveilleux et lui a prêté ce don de produire, à l'approche de sa fin, une complainte aux accents lugubres et touchants comme un chant funèbre.

Pourquoi est-il risqué d'« acheter chat en poche » ?

Le chat n'est pas toujours un animal très coopératif. Ainsi, au Moyen Âge, les vendeurs de chats, sur les marchés, les enfermaient dans un sac (ou « poche »), de toile. À le voir s'agiter pour en sortir, l'acheteur se persuadait qu'il s'agissait d'un chat et ne se donnait donc pas la peine d'ouvrir le sac. Il payait sans regarder la marchandise... à ses risques et périls.

Pourquoi dit-on que « chat échaudé craint l'eau froide » ?

Le verbe « échauder », du bas latin *excaldare,* ne signifie pas : donner chaud, mais : plonger dans l'eau bouillante (en principe, on échaude une bête pour la dépouiller) ; le chat que l'on a voulu jeter dans l'échaudoir et qui s'en est tiré craint de près ou de loin tout ce qui y ressemble, à savoir même l'eau froide. Les Anciens se plaisaient à dire : « Qui a fait naufrage redoute la mer, même calme » ; les Arabes : « Qui a été mordu par un serpent se défie des cordes. »

Pourquoi parle-t-on de « ronger son frein » ?

Le mors du cheval est la barre de fer que l'on place dans sa bouche et qui sert de frein. Au repos, le cheval mâche et remâche son frein. Passée dans le langage courant, cette expression signifie que l'on rumine son dépit ou une injure dont on ne peut se venger dans l'immédiat.

Pourquoi certains sont-ils « connus comme le loup blanc » ?

Tout le monde connaît le loup commun, qui possède un pelage gris noirâtre. Mais il arrive que l'un d'eux naisse albinos, et donc blanc, reconnaissable de loin dans la meute. Sa rareté en a fait de tous temps un animal mythique renvoyant à l'admiration plutôt qu'à la peur... « Être connu comme le loup blanc », de fait, c'est être reconnu entre tous pour une valeur singulière.

Pourquoi l'homme-loup est-il appelé « loup-garou » ?

Pour attiser nos peurs ancestrales, cinéastes et écrivains nous servent régulièrement ces légendes liées aux revenants, aux vampires ou aux loups-garous, ces hommes qui se métamorphosent en loups à la pleine lune en adoptant la sauvagerie dudit animal. « Garou » est un reliquat linguistique de *garo*, « féroce, cruel ». L'ancien français employait également *garoul*, issu du *gerulphus* germanique, lui-même dérivé du suédois *varulf*, composé de *var* (« homme ») et de *ulf* (« loup »), pour désigner l'homme-loup des légendes.

Pourquoi l'expression « entre chien et loup » ?

Au Moyen Âge, les cockers, dalmatiens et autres caniches ne couraient pas les rues ; les seuls chiens, hormis les dogues des châtelains, ressemblaient bien plus à des loups faméliques, et il était malaisé de les distinguer, surtout au moment où le jour et la nuit se confondaient (à la pique du jour ou à la tombée de la nuit). Par extension, l'expression signifie que l'on se trouve devant une hésitation, au passage d'un état à un autre.

Et « bayer aux corneilles » ?

Et non pas « bâiller », comme lorsque l'on s'ennuie ou que l'on est fatigué... Le « bayer » dont il s'agit ici vient de l'ancien français *baer* (ou *béer*), tenir la bouche ouverte sous le coup de la surprise ou de l'innocence. *Béer* a donné « bouche bée » (béante), « bégueule » (bée gueule) ou « badaud ». « Bayer aux corneilles » évoque l'étourderie, ou la rêverie...

Ou encore « c'est chouette » ?

Ici encore, il ne s'agit pas de la chouette, attribut de la déesse Athéna et symbole d'Athènes, mais du français ancien *choeter*, faire le coquet. Une chose ou une fille chouette est par conséquent une chose ou une fille belle, coquette, admirable.

Pourquoi monte-t-on « sur ses grands chevaux » ?

Au Moyen Âge, les chevaliers montaient deux sortes de chevaux : le **palefroi** (du latin *paraveredus*, cheval de poste, de parade), que l'on montrait richement caparaçonné dans les solennités publiques (tournois, cérémonies, entrées triomphales dans les villes) et le **destrier** (du latin *ad dexteram*, parce qu'on le conduisait de la main droite), plus grand et robuste, également appelé « cheval de lance » ou « cheval de bataille ». Ainsi, « monter sur ses grands chevaux » équivalait à partir en guerre pour défendre ses droits ou venger une injure. Cet us nous a également légué l'expression **cheval de bataille** pour désigner ce sur quoi on s'appuie fortement, un thème de prédilection dans la discussion.

Pourquoi l'expression « revenons à nos moutons » ?

Une farce du Moyen Âge raconte les mésaventures d'un drapier, volé de vingt-six moutons par son berger et de six aunes de drap par un marchand. Il porte plainte contre le berger et se retrouve devant le juge ; préoccupé par ces deux vols au point de les confondre sans cesse, il s'entend répliquer par le juge à chaque envolée sur les aunes de drap : « Et si nous revenions à nos moutons ? » Dès lors, quand quelqu'un s'écarte du sujet de conversation en cours, on le rappelle gentiment à l'ordre par un « revenons à nos moutons ».

Pourquoi le mot « mouchard » ?

Quand le cardinal de Lorraine, au début des années 1560, décida d'établir l'Inquisition en France, il nomma des ecclésiastiques qu'on admit pour juges dans les procès extraordinaires et auxquels on donna le titre d'inquisiteurs. Parmi ces hommes, le cardinal de Lorraine désigna un certain Mouchy, recteur de l'Université, qui devint un délateur, un espion à sa solde. C'est pour lui qu'on inventa le sobriquet de « mouchard », qui avec le temps resta aux espions. Mais on utilisait déjà le terme *musca* chez les Romains, par analogie avec les mouches, qui s'introduisent partout.

Et « galimatias » ?

Un avocat, qui plaidait en latin, comme il était d'usage autrefois, avait à défendre les intérêts d'un certain Mathias dans un litige mineur relatif à un coq ; il en revenait donc toujours au *gallus Mathiae* (le « coq de Mathias »). Mauvais latiniste, sans doute, ou ennuyé par le peu d'intérêt de l'affaire, il finit par s'embrouiller au point d'évoquer le *galli Mathiae* (le « Mathias du coq »). Cette triste inversion, qui fit rire l'assemblée, passa de bouche à oreille au point que l'on s'en servit bien vite pour désigner les discours embrouillés et confus.

Pourquoi le terme « cocu » pour désigner un mari trompé ?

Le « cocu » dont il s'agit ici est dérivé de « coucou », oiseau dont la femelle pond les œufs dans des nids étrangers.

Pourquoi l'expression « mettre la puce à l'oreille » ?

Ce parasite est connu pour provoquer bien de l'énervement et des démangeaisons et il nous tarde de nous en débarrasser pour retrouver la quiétude. « Mettre la puce à l'oreille » de quelqu'un, c'est éveiller son attention sur un point précis au point de provoquer l'agacement et l'accaparement de son esprit tant qu'il n'aura pas le fin mot de l'histoire.

Pourquoi parle-t-on d'« oiseau de mauvais augure » ?

Avant toute décision importante, les prêtres (augures) prenaient les auspices (de *avis specio*, « j'observe les oiseaux ») ; pour ce faire, ils délimitaient dans le ciel un rectangle (le *templum*). Si les oiseaux entraient dans ce rectangle par la droite, c'était bon signe ; si en revanche le vol venait du côté gauche (*sinister*), c'était un mauvais présage ; l'oiseau était donc dit « de mauvais augure ». Le sens actuel du mot **sinistre** témoigne de cette malheureuse connotation.

Les Pourquoi des Noms Propres

Pourquoi se met-on « en rang d'oignons » ?

L'« oignon » dont il s'agit ici n'est pas le légume mais Artus de La Fontaine Solaro, baron d'Oignon et seigneur de Vaumoise, qui exerça d'importantes fonctions sous le règne d'Henri II. Maître de cérémonie, il lui incombait d'assigner leur place aux députés des trois ordres, et il se signala par la conscience avec laquelle il faisait serrer les rangs tout en respectant les droits de chacun en fait de préséance. Cette « marque de fabrique » se perpétua et, depuis, on tenta de serrer les rangs à l'Oignon...

Pourquoi les « olibrius » ne sont-ils pas enviés ?

« Olibrius » désigne un énergumène sans valeur qui veut faire l'important.

Nous pouvons hésiter entre deux « pères » pour ce vocable peu flatteur : le premier, Anicius Olibrius, sénateur romain proclamé empereur par surprise en 462, ne régna que trois mois tant son incapacité était flagrante. Le second Olibrius fut gouverneur des Gaules. Ne pouvant se faire aimer de la reine, il la fit mourir. Le martyre de cette sainte devint le sujet d'un grand nombre de mystères où Olibrius était représenté comme un fanfaron, un faux brave.

Pourquoi traite-t-on une femme acariâtre de « mégère » ?

Dans la mythologie romaine, les Furies *(Furiae)*, les trois divinités de la Vengeance, qui rendaient les hommes fous, répondaient aux noms de Mégère, Alecto, et Tisiphone. Furie et Mégère sont devenus des noms communs, nous laissant également l'adjectif « furieux ».

Puisque nous en sommes à la folie, notons d'autres mots qui l'expriment : *demens* (« dément, qui a perdu l'esprit »), *insanus* (« non sain d'esprit », qui nous a laissé « insanité »), *deliro* (*de*, « hors de », et *lira*, « sillon »), *delirare* (littéralement, « sortir du sillon »), qui nous ont laissé « délirant », « délire ».

Pourquoi le mot « calembour » ?

Cette sorte particulière de jeu de mots n'avait pas de nom jusqu'au XVIIe siècle et l'arrivée de l'ambassadeur allemand à Versailles, le comte de Kahlemburg.

Peu familiarisé avec les finesses de la langue française, le comte tomba souvent dans les pièges des subtilités grammaticales qui amusaient les beaux esprits de la Cour. Bientôt on ne put entendre une plaisanterie de ce genre sans évoquer Kahlemburg et l'on s'amusa à faire des *kalembourgs*, ou « calembours ».

Pourquoi l'âne de Buridan est-il passé à la postérité ?

L'âne de Buridan doit ses quartiers de noblesse à Jean de Buridan, un savant du Quartier latin au XIIIe siècle. De la philosophie de ce maître de l'université de Paris il nous est resté le sophisme de l'âne, qui illustre le libre arbitre et les dangers de l'indécision. Jean de Buridan se plaisait à raconter l'histoire d'un âne qui, placé entre deux picotins d'avoine, n'était pas capable de se décider entre le picotin de gauche et celui de droite, et finissait par mourir de faim.

Pourquoi le jeu de colin-maillard porte-t-il ce nom ?

L'origine du terme est liée à la mésaventure héroïque de Jean Colin Maillard, seigneur de la principauté de Liège, qui fut fait chevalier par le roi Robert en 999. Lors de la bataille qu'il livra au comte de Louvain, Jean Colin Maillard, bien qu'il eût perdu l'usage de ses yeux, continua de combattre, guidé par ses écuyers. Le jeu s'inspire de ce héros : les yeux bandés, la personne cherche à saisir l'un des autres joueurs, qui fuient à son approche.

Pourquoi parle-t-on de « mouton de Panurge » ?

« Mouton de Panurge » qualifie celui qui fait ce qu'il voit faire, agit par pur esprit d'imitation sans faire appel à son libre arbitre.

Cette locution est une allusion au tour que joue Panurge (du *Pantagruel* de Rabelais) à un marchand de moutons nommé Dindenault. Sur un navire, Panurge se prend de querelle avec ce marchand, qui l'accable de quolibets et d'injures. Panurge cherche un moyen de vengeance : il achète un mouton à Dindenault ; le marché conclu, Panurge jette son mouton par-dessus bord. Les autres suivent alors leur congénère et se jettent tous à la mer ; le marchand se rend ridicule en s'efforçant vainement de les retenir...

Pourquoi les mesures « draconiennes » sont-elles si terribles ?

Cet adjectif éponyme a pour origine Dracon, législateur athénien (VIIe siècle av. J.-C.) qui rédigea le premier code de lois d'Athènes, si sévères (avec des sanctions disproportionnées aux actes) que son nom passa dans la langue commune pour qualifier de telles lois. Sa trop grande sévérité lui valut d'ailleurs l'ostracisme de ses pairs...

HAUT LES PIEDS !

Pourquoi le mot « rodomontade » ?

Rodomonte, personnage créé par l'Arioste pour *Le Roland furieux*, était un roi violent, insolent et vantard, qui exagérait sa bravoure pour se faire valoir lors des guerres entre Charlemagne et les Sarrasins d'Afrique. Cet éponyme désigne aujourd'hui encore les actes et les propos d'une personne fanfaronne.

Pourquoi traite-t-on un supporter violent de « hooligan » ?

Le mot, apparu au XIXᵉ siècle en Angleterre, est associé à un certain Hooley qui, avec sa bande (le *Hooley's Gang*), semait la terreur chez les Irlandais.

Pourquoi regarde-t-on parfois « avec les yeux de Chimène » ?

Regarder quelqu'un « avec les yeux de Chimène », c'est porter sur la personne un regard amoureux, avoir pour elle une passion secrète. Chimène, héroïne féminine du *Cid* de Corneille, bien qu'étant éprise de Rodrigue, dut condamner son amour en apprenant qu'il était l'assassin de son père.

Pourquoi le « grain » de sable de Pascal a-t-il fait couler tant d'encre ?

Le « grain de sable » de Pascal évoque un rien, un événement minuscule qui provoque un changement radical de situation. Il fut inspiré par la disparition du républicain anglais Cromwell, emporté par un calcul urinaire. La mort de Cromwell mit fin à la dictature puritaine et permit le rétablissement de la royauté. Ainsi Pascal écrivit-il : « Sans un petit grain de sable qui se mit dans son urètre... »

Pourquoi un passe-temps est-il volontiers appelé « violon d'Ingres » ?

« Avoir un violon d'Ingres », c'est occuper ses loisirs en cultivant une passion, à l'instar du peintre et dessinateur Ingres, qui jouait du violon en amateur à ses moments perdus.

Pourquoi d'aucuns sont-ils dits « vieux comme Mathusalem » ?

Être « vieux comme Mathusalem », c'est jouir d'une longévité digne d'être comparée à celle de ce patriarche de la Bible, grand-père de Noé, qui aurait vécu jusqu'à 969 ans ! Hérode, qui eut lui aussi une longue vie, est à l'origine d'une autre expression de même sens, **vieux comme Hérode**.

Pourquoi l'ogre porte-t-il ce nom ?

Originaires d'Asie, les Hongrois, ces redoutables cavaliers, ravagèrent la Germanie, l'Italie du Nord et la France de l'Est durant la première moitié du Xe siècle. Les *Hongres* semèrent à tel point la terreur que leur souvenir a marqué les traditions populaires françaises. On les présentait comme des barbares avides de chair fraîche qui buvaient le sang de leurs ennemis. Lorsque les enfants n'étaient pas sages, on les menaçait d'appeler l'*Hongre* ; le mot « ogre » n'en est que l'altération.

Pourquoi porte-t-on une cravate ?

Lors de la guerre de Trente Ans,
les mercenaires *hravt* (dont « croate »
est la transcription française) portaient,
en signe de reconnaissance, un ruban
autour du cou. Plus tard, le ruban croate
devint un accessoire de mode, et,
avec le temps, « croate » s'altéra
en « cravate ».

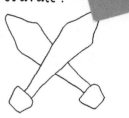

Pourquoi parle-t-on de « victoire à la Pyrrhus » ?

Pyrrhus, ou Purrhos, était un roi d'Épire (295-272 av. J.-C.) ; après avoir voulu annexer la Macédoine pour agrandir son empire, il se tourna vers l'Italie, qu'il vainquit en surprenant l'ennemi avec ses éléphants. Mais ce succès, qui coûta de grosses pertes à ses armées, fut sans lendemain ; en effet, Pyrrhus fut défait par les Romains quelques années plus tard. De la victoire de Pyrrhus nous est restée l'expression, qui s'applique à une victoire arrachée au prix de grands sacrifices et sans lendemain.

Pourquoi parle-t-on du « coup de Jarnac » ?

Guy Chabot, baron de Jarnac (v. 1509-1584), rendit célèbre cette expression après un duel mémorable. Son adversaire, François Vivonne de La Châtaigneraie, était un duelliste réputé ; alors que ce dernier avait le dessus, Guy Chabot lui porta un coup d'épée au jarret et Vivonne s'écroula, perdant ainsi le combat. Ce coup inattendu (et interdit par la suite) devint l'archétype de toute victoire traîtreusement acquise.

Pourquoi « nœud gordien » est-il synonyme de « casse-tête »?

Laboureur de Phrygie, Gordius n'avait pour toute richesse que son chariot et ses bœufs. Les Phrygiens, lorsqu'il fut question de nommer un nouveau roi, consultèrent l'oracle, qui répondit au prêtre : « Prenez pour roi le premier homme que vous verrez monté sur un char. » Le hasard se porta sur Gordius. Le char de Gordius, consacré à Zeus par son fils Midas, est resté célèbre par le nœud qui attachait le joug au timon, si habilement conçu qu'on ne pouvait le défaire. Lorsque Alexandre le Grand conquit la Phrygie, il apprit que, selon la tradition, seul l'homme qui réussirait à dénouer le joug du char de Gordius se rendrait maître de l'empire. Alexandre sortit son épée et trancha net le nœud.

Le nœud gordien symbolise donc une difficulté que l'on ne peut résoudre que par un moyen expéditif, comme le fit Alexandre.

Pourquoi parle-t-on de « vérité de La Palice »?

Le seigneur Jacques de Chabannes, dit de La Palice, maréchal de France, participa aux guerres d'Italie de Louis XII et de François Ier et trouva la mort à Pavie en 1525. Pour célébrer son courage et rappeler qu'il s'était battu bravement jusqu'à sa dernière heure, ses soldats composèrent ces deux vers : « Un quart d'heure avant sa mort/Il faisait encore envie. » Mais la postérité les altéra en : « Un quart d'heure avant sa mort/Il était encore en vie. » Dès lors, toute « vérité de La Palice » en vint à désigner un truisme, ou « lapalissade », soit une vérité d'une évidence navrante.

Pourquoi le mot « dulcinée » évoque-t-il la passion amoureuse?

Terme aujourd'hui désuet, « dulcinée » a longtemps évoqué une femme inspirant une vive passion à un homme. Dulcinée est le nom donné par Don Quichotte à une servante d'auberge qu'il avait promue au rang de « dame de ses pensées », dans le roman de Cervantès *Don Quichotte de la Manche*.

Pourquoi la guillotine fut-elle conçue ?

Joseph Ignace Guillotin (1738-1814), médecin et député, n'aurait jamais imaginé devenir aussi tristement célèbre, puisqu'il avait inventé sa machine pour éviter les souffrances inutiles infligées aux condamnés à mort. La guillotine fut adoptée par l'Assemblée nationale en 1789 pour servir à l'usage intensif que l'on sait.

Pourquoi le mot « silhouette » ?

Étienne de Silhouette (1709-1767) fut nommé en 1759, sous Louis XV, contrôleur général des Finances. Voulant réformer lesdites finances en profondeur, au dam de la noblesse, il provoqua une telle colère en son sein qu'elle se vengea en le caricaturant, le portraiturant sous un aspect sommaire, dépourvu de détails, avec des habits simples et étriqués, qui soulignait sa pingrerie. Ce dessin qu'il inspira, souvent réduit à un fil pour mieux le ridiculiser, devint à la mode et le nom de Silhouette passa dans le langage courant.

Pourquoi tous les noms propres sont-ils aujourd'hui dans le « bottin » ?

Sébastien Bottin (1764-1843), ancien prêtre devenu fonctionnaire, publia les premiers annuaires de statistiques commerciales. Devant un succès aussi vif, on généralisa et diversifia ces annuaires, baptisant ces inventaires du nom de leur concepteur.

Les Pourquoi de Paris

Pourquoi la rive gauche s'appelle-t-elle « Quartier latin » ?

Jusqu'au XIIIe siècle, la rive gauche de la Seine était couverte de vignes et de prairies. De nombreux collèges y furent alors fondés et ce quartier devint le centre de l'enseignement (d'abord théologique).

Les maîtres d'université, renommés, attiraient les élèves de tous les coins d'Europe. Les étudiants se regroupaient dans les collèges selon leur nation d'origine (allemande, italienne, espagnole...). La langue commune, pour étudier, était le latin, d'où l'appellation de « Quartier latin ».

Pourquoi dit-on de Paris qu'elle est la « Ville lumière » ?

Bien avant l'électricité, bien avant le siècle des Lumières, l'enseignement dispensé aux *escholiers du pays latin* (au Moyen Âge, donc) était de très grande qualité. Pour ne citer qu'un maître : Albert le Grand, naturaliste, botaniste, minéralogiste, chimiste, astronome, psychologue, théologien... La réputation de ses savants fut telle qu'elle fit de Paris un centre rayonnant de civilisation qui lui valut son surnom de « Ville lumière ». Déjà...

Pourquoi le bac est-il resté une référence ?

Les savants qui professaient jadis en Sorbonne enseignaient une explication totale du monde, qui embrassait toutes les sciences d'alors (grammaire, rhétorique, dialectique, arithmétique, musique, géométrie, astronomie). La logique avait une part prépondérante dans l'enseignement.

Les maîtres organisaient les « disputes » *ad quodlibet* (expression qui nous a laissé le mot « quolibet »), consistant en des questions nombreuses, disparates, venant des auditeurs. Celui qui y répondait sans faille était fait **bachelier**, celui qui dirigeait et concluait le débat était maître.

Pourquoi aime-t-on aller « cueillir la marguerite » ?

Au Moyen Âge, l'île aux Vaches (l'actuelle île Saint-Louis) était un pâturage bordé de saules et de peupliers ; les ruminants y venaient paître soit par l'eau, en bac, soit par la passerelle de la Tournelle.

Les amoureux, pour échapper à la marée humaine de la Cité, cherchaient un endroit isolé pour se conter fleurette. Ils empruntaient le bac et allaient y folâtrer. Ils disaient qu'ils allaient « cueillir la marguerite ».

Pourquoi le quartier de la Goutte-d'Or porte-t-il ce nom ?

Ce quartier de Paris doit en fait son nom à un vin blanc jadis fort réputé, issu des vignes des coteaux du lieu. Ledit vin, dont la goutte avait la couleur de l'or, donna son nom au quartier.

Du temps de Saint Louis, un jury s'appliqua à classer les vins par ordre de mérite ; le premier prix revint au vin de Chypre, déclaré « pape » des vins, le second au Malaga, décrété « cardinal », et le troisième prix réunit *ex aequo* les vins de Malvoisie, d'Alicante et de la Goutte-d'Or, tous trois qualifiés de « rois » des vins.

Chaque année, au jour anniversaire du couronnement du roi, la ville de Paris lui offrait quatre muids de ce « roi des vins » local.

Pourquoi dit-on d'un travailleur qu'il est « en grève » ?

À Paris, la main-d'œuvre sans qualification s'embauchait à la journée ou à la semaine ; des bourses du travail se tenaient sur certaines places, où les patrons trouvaient les ressources humaines qui leur étaient nécessaires.

En 1141, le roi Louis VII le Jeune avait cédé à la corporation des marchands de l'eau une partie de la grève à proximité du Grand Châtelet pour y établir leur port. Cette plage était alors une berge sablonneuse d'où on tirait le sable pour le mortier des constructions. C'est là que les ouvriers prirent l'habitude de se rassembler pour demander du travail à la municipalité, c'est là que les entrepreneurs venaient les embaucher. Lorsque les ouvriers n'étaient pas contents de leur salaire, ou qu'ils refusaient de travailler à des conditions qui ne leur semblaient pas assez favorables, ils retournaient sur la « place de grève » en attendant qu'on vienne leur faire des propositions meilleures. On disait alors qu'ils étaient « en grève ».

Pourquoi n'aime-t-on pas « rester sur le carreau » ?

Au Moyen Âge, les rues étaient des traverses de terre que la pluie (mais aussi les eaux usées jetées depuis les portes et les fenêtres), rendait fangeuses. Au XIIIᵉ siècle, on décida de paver les rues principales de Paris avec des dalles de grès carrées. La rue Saint-Jacques, dite aussi « des petits carreaux », fut la première dans ce cas. Le carreau fut ainsi, et pendant longtemps, l'unique moyen de pavage des rues. « Rester sur le carreau » signifiait : rester à la rue.

Pourquoi vaut-il mieux « tenir le haut du pavé » ?

Toutes les rues n'étaient pas couvertes de carreaux. Au long des voies fangeuses, on plaçait une bordure de pavés courant contre les façades des maisons, afin que les dames ne salissent pas le bas de leur robe ou les bourgeois leurs belles chaussures. Mais sur cette bordure on ne pouvait pas circuler côte à côte. Ainsi se posa bien vite le problème de la préséance lorsque deux personnes s'y croisaient : le personnage le plus important restait sur la passerelle (« le haut du pavé »), le deuxième n'ayant qu'à descendre au bas du pavé (dans la boue). D'où l'expression qui nous est restée...

Pourquoi l'expression « c'est la fin des haricots » est-elle née à Paris ?

Sur l'emplacement où s'élève aujourd'hui la bibliothèque Sainte-Geneviève, place du Panthéon, se trouvait initialement un collège, fondé en 1314. Célèbre par l'austérité qui le régissait (on y faisait de sérieuses études et de maigres repas), le collège Montaigu – du nom de Pierre Montaigu, évêque – avait été surnommé par ses élèves « collège des haricots » en raison de sa nourriture spartiate. Quant à « la fin des haricots », c'était atteindre le paroxysme de la rigueur, à savoir encore moins que les quelques haricots que l'on y servait !

LA FUSION DU HARICOT

Les Pourquoi du Langage

Pourquoi traite-t-on certaines personnes de « sybarites »?

Sur le golfe de Tarente, Sybaris était, dans l'Antiquité, l'une des villes les plus florissantes de l'Italie méridionale. Mais après la gloire la décadence, Sybaris se laissa gagner par l'indolence : on bannit de la ville tous les métiers qui, par leur bruit, pouvaient troubler le repos des habitants, et les coqs eux-mêmes furent égorgés. Au point que Diodore de Sicile écrivit ce couplet ironique : « – À la campagne d'où je viens, disait un Sybarite, j'ai aperçu des gens qui creusaient un fossé ; rien qu'à les voir, il m'est venu une courbature… – Je te crois, répondit l'autre, car ce que tu en dis me donne un point de côté ! » Sybaris fut détruite par les Crotoniates (VIe siècle av. J.-C.).

Pourquoi aime-t-on « regagner ses pénates » ?

Chez les Étrusques et les Romains, les pénates représentaient les dieux domestiques qui veillaient sur la famille et, par extension, sur le foyer. « Regagner ses pénates » signifie donc rentrer chez soi.

Pourquoi « conter fleurette » aux filles ?

Le Romain aimait à parler de *rosas loqui* pour désigner un langage fleuri. Ainsi lorsqu'un jeune homme parlait d'amour à une jeune fille, il utilisait un langage fait de compliments gracieux, de mots recherchés, à la manière des poètes. Ce n'était pas une déclaration d'amour sincère et forte, mais une façon de faire la cour à une jeune fille dans le but d'attirer son attention, ou d'en obtenir les faveurs par des mots flatteurs, séduisants, qui n'étaient pas ceux de tous les jours. À noter que le mot **flirter** (de l'anglais *flirt*) est lui aussi dérivé de *fleureter* (« conter fleurette »).

Pourquoi le prince de Monaco est-il dit « altesse sérénissime » ?

Marquant la « hauteur », la « grandeur » du personnage royal, le titre d'altesse fut d'abord réservé aux évêques avant de devenir, à partir du XIIIe siècle, le titre commun de tous les rois.
À partir de François Ier les rois l'abandonnèrent pour prendre celui de **majesté**, réservé auparavant à l'empereur.

En 1630 Gaston d'Orléans, frère de Louis XIII, ajouta l'épithète de « sérénissime » au titre d'altesse et, en 1631, il transforma cette qualification en **altesse royale**. Au XVIIIe siècle, il fut institué que seraient nommés « altesse royale » les princes issus directement du sang royal et **altesse sérénissime** les princes des branches collatérales ou plus obscures.

Pourquoi est-on dit « bachelier » ?

On distinguait au Moyen Âge deux classes de chevaliers : les bannerets et les bacheliers. Les chevaliers *bannerets*, assez puissants pour équiper et entretenir, quand ils étaient en guerre, une armée d'au moins 25 cavaliers, avaient la bannière carrée pour marque distinctive de leur rang supérieur. Les bacheliers étaient ceux qui n'étaient pas assez riches pour lever des troupes à leurs frais et qui, en temps de guerre, servaient dans les compagnies d'hommes d'armes entretenues par les bannerets. Les bacheliers ne pouvaient porter qu'une bannière à queue (ou « guidon ») triangulaire au bout de leur lance (on coupait cette queue lorsque le bachelier devenait chevalier banneret). Venons-en à l'explication du mot : « bachelier » peut être la contraction de *bas-chevalier* ou l'extension de *bachelle* (terre qui, dans le système féodal, n'avait qu'un rang secondaire et qu'on appelait aussi *bachellerie*, du latin *baccalaris* ou *baccalarius*). Le bachelier, ou *bachelor*, était un jeune noble aspirant chevalier, en quelque sorte le grade de ceux qui n'avaient pas encore le titre de chevalier. Le mot désigna aussi le premier grade universitaire dès la fin du Moyen Âge (voir aussi p. 42).

Dans ce même domaine universitaire, le candidat qui passait une maîtrise et/ou un doctorat portait jadis un bonnet. On disait alors de lui : « Il a pris le bonnet », pour dire qu'il était passé maître. D'où l'expression qui nous est restée, **être un gros bonnet**, désignant une « grosse pointure », un maître dans son domaine…

Pourquoi l'expression « être bardé de diplômes » ?

Encore un terme qui nous vient du Moyen Âge puisqu'on appelait *barde*, dans le vieux langage français, l'armure complète des chevaliers (d'où l'expression « bardé de fer ») ; les plaques de fer dont on couvrait les chevaux s'appelaient également *bardes*. Par extension, les lamelles qui composaient une armure étaient nommées *bardeaux*, mot qui a été appliqué à l'architecture (« un toit en bardeaux »). « Barde » se dit surtout aujourd'hui du lard dont on enveloppe une viande. « Être bardé de diplômes », c'est en être recouvert comme d'une armure.

Pourquoi dit-on « faire barrage » ?

Le *barrage* était le droit féodal que les seigneurs levaient sur les marchandises qui traversaient leur domaine par voie de terre ou voie d'eau. On percevait ce droit en empêchant le passage à l'aide d'une barre abaissée, jusqu'à ce que la personne ait payé le droit.

Pourquoi le « droit de cuissage » n'était-il pas ce que l'on pense ?

Le droit de cuissage, cette barbarie des temps médiévaux qui donne pouvoir au seigneur de passer la première nuit de noces avec une toute jeune mariée, est lié avant tout... à une confusion lexicale. Ce droit n'aurait jamais existé, et sa mention dériverait d'une altération de « droit de *quitage* » ou « droit de quitus », lié au *maritagium*, ou « formariage ».

Au Moyen Âge, un serf, s'il désirait marier sa fille en dehors du domaine seigneurial, devait s'acquitter d'une redevance afin de permettre à la jeune promise de pouvoir quitter les terres où elle vivait. Ce rituel, pour être rendu public, avait lieu lors d'une brève cérémonie, en présence de témoins.

Le terme de « cuissage », en vigueur à Rome, s'est répandu bien plus tard, par confusion et par l'entremise des Espagnols : en effet, dans certaines tribus d'Amérique, le droit de déflorer les vierges était bien l'apanage du chef.

Pourquoi le féminin d'« amant » est-il « maîtresse » ?

Ce terme est né de l'amour courtois. Ce qui s'appelait alors la **fin'amor** comportait quatre degrés : le « soupirant » qui aimait en secret devenait « suppliant » une fois que la dame lui avait adressé un regard entendu. Celle-ci pouvait alors en faire un amant « agréé » avant qu'il ne devienne amant « charnel ». Lorsque la dame consentait à faire du suppliant son amant agréé, une cérémonie intime se déroulait : à genoux, le suppliant se proclamait homme lige de la dame, ce qui, à l'exemple de l'adoubement du chevalier dans le même système féodal, signifiait qu'il n'aurait d'autre seigneur en amour (de cette cérémonie intime est issue la coutume qui veut que l'homme qui demande la main d'une jeune fille le fasse en mettant un genou à terre). La dame lui accordait alors un baiser qui élevait le suppliant au rang d'amant agréé, autrement dit platonique. L'amant agréé devait alors surmonter l'*asag*, ou « épreuve d'amour » : la contemplation de la dame nue ; cet « amour théorique » permettait à la dame de constater que son amant l'aimait avec son cœur et ne la considérait pas seulement comme un objet sexuel ; l'homme pouvait alors faire plaisir à la dame selon son souhait à elle, l'enlacer, la caresser, sans jamais rien faire contre la volonté de celle qui restait la « maîtresse » du jeu.

Pourquoi aussi l'expression « je me la paierais bien » ?

Nouvel exemple de le corruption d'une expression de l'amour courtois : « Je la peignerais bien. » En effet, dans l'amour chevaleresque, toucher aux cheveux d'une jeune fille constituait un acte amoureux audacieux, mêlé d'érotisme et d'intimité. Ainsi, lorsqu'un soupirant ou un suppliant souhaitait voir la *fin'amor* aller vers des liens plus intimes, il avait pour coutume de dire d'une jeune fille qu'il la peignerait bien...

Pourquoi dit-on « feu » d'un défunt ?

« Feu » n'a aucun lien avec les flammes de l'enfer, ni avec les feux follets. Selon le dictionnaire, l'adjectif « feu » ne s'applique, en fait, qu'à un défunt récemment mis en terre (on utilise ensuite l'adjectif « regretté »). Le mot est issu du latin *defunctus*, « qui a accompli sa vie », autrement dit « défunt ».

Pourquoi l'expression « s'en aller les pieds devant » est-elle une métaphore de la mort ?

Voilà une tournure très ancienne qui était déjà employée par les Romains. Cette métaphore de la mort est due au fait que l'on vient au monde la tête la première et que l'on en repart les pieds devant. On peut également y voir une allusion à l'entrée du cercueil dans l'église, qui se fait la tête en premier, et à sa sortie (direction le cimetière) les pieds devant.

Pourquoi appelle-t-on « cordon-bleu » un bon cuisinier ?

Ce terme, qui désigne un (e) très bon (ne) cuisinier(ère), digne de recevoir une distinction, tire son origine de l'ordre du Saint-Esprit, institué par Henri III en 1578 en mémoire de trois grands événements survenus le jour de la Pentecôte et qui le touchaient personnellement : sa naissance, son accession à la couronne de Pologne et son avènement à celle de France. Cette distinction rare était réservée à l'élite et il fallait, pour y être reçu, posséder trois quartiers de noblesse. La croix de cet ordre était pendue à un ruban bleu et les récipiendaires étaient communément désignés sous le nom de « cordons-bleus » ; l'ordre dissous, il nous en est resté l'idée de mérite... que l'on associe à un excellent cuisinier.

Pourquoi n'aime-t-on pas que les gens nous « bassinent » ?

Dire de quelqu'un qu'il nous « bassine », c'est avouer qu'il nous ennuie, nous soûle, nous accable de propos oiseux.

« Bassiner » une partie du corps consistait à la tremper, à la mouiller à l'aide d'un linge pour l'amollir ou la rafraîchir. Répétée trop souvent, cette opération pouvait avoir des effets néfastes, notamment sur les peaux sensibles. De même l'importun qui nous tient inlassablement le même discours provoque une sensation de lassitude, voire d'exaspération.

On prête pourtant à cette expression une autre origine. Un individu faisait construire un bassin d'eau dans son jardin. Chaque jour, il assommait son voisinage de détails aussi longs qu'ennuyeux sur l'avancement des travaux ; au point que, excédés, ses voisins prirent l'habitude de soupirer à son approche : « Tiens, voilà notre bassin qui arrive ! » ou encore : « Ça y est, nous allons encore être "bassinés" ! »

Pourquoi dit-on que « c'est OK » ?

Ce terme est apparu durant la guerre de Sécession. Chaque soir, le rapport mentionnait le nombre de tués. Les bons jours, lorsqu'il n'y avait eu aucun tué, on écrivait « OK » (pour *0 killed*). Donc (et c'est bien connu), quand tout est « OK », c'est que tout va bien. À noter qu'en sciences, le *0 K* (zéro Kelvin, ou 0 °K) est la température du froid absolu, soit – 273,15 °C !

Pourquoi le cocktail doit-il son nom à un coquetier ?

Malgré son appellation anglaise, le cocktail a été inventé par un Français vivant à La Nouvelle-Orléans au XVIIIᵉ siècle. Ce pharmacien, dont le nom a sombré dans l'oubli, offrait dans sa boutique des boissons à base d'absinthe, d'alcools divers, de citron et de sucre. Il dosait savamment ses mélanges à l'aide d'un coquetier et, la prononciation anglaise aidant, « coquetier » se transforma en *cocktail*.

Pourquoi le pataquès est-il né d'une scène comique ?

Lorsque l'on s'exprime en faisant des liaisons « mal-t-à propos », on fait un « pataquès ».

Un jeune homme se trouvait à l'Opéra, dans la même loge que deux femmes fort élégamment vêtues. Le jeune homme, voulant s'asseoir, trouva, posé sur son fauteuil, un éventail. Il se permit d'interrompre la conversation des deux femmes et, tendant l'objet, demanda : « Ne serait-il point à vous ? »

La première répondit : « Non, il n'est pas-t-à moi », et l'autre : « Il n'est pas-t-à moi non plus. » Amusé, le jeune homme répondit malicieusement : « Eh bien, mesdames, s'il n'est pas-t-à vous, je ne sais pas-t-à qui est-ce ! » Cette boutade, passée de bouche à oreille, devint rapidement une moquerie adressée aux bourgeoises incultes ou aux pédants, puis un nouveau mot.

À propos de théâtre, pourquoi le mot « four » est-il synonyme d'insuccès ?

Ce terme, au théâtre, exprime l'insuccès d'une pièce, le « bide ». Le mot a été emprunté à la comédie italienne, qui disait *fare fuor* (« mettre dehors »), en parlant des acteurs qui renvoyaient les spectateurs avant la représentation s'il n'était pas venu assez de monde pour couvrir les frais ; les comédiens éteignaient alors les lumières, rendant la salle aussi noire qu'un four. C'est de cet amalgame qu'est née l'expression française *faire four*, devenue « faire un four ».

Pourquoi dit-on « saisir sa chance » ?

Cette tournure vient du fait que les Anciens représentaient la Chance sous les traits d'une femme qui n'avait pas de cheveux sur l'arrière de la tête. Ils voulaient exprimer par là qu'une fois qu'on l'avait laissée passer, il n'était plus possible de la saisir.

Posidippe, dans son *Anthologie*, nous éclaire par ce dialogue avec la Chance : « Pourquoi te tiens-tu ainsi sur la pointe des pieds ? – Je ne me fixe jamais davantage. – Pourquoi cette chevelure qui descend si longue sur le front ? – C'est pour être facilement saisie par le premier qui me rencontrera. – Tu n'as pas un seul cheveu derrière la tête ? – C'est afin que nul de ceux qui m'auront laissée échapper ne puisse me ressaisir dans mon vol. »

Pourquoi les Italiens se saluent-ils par un « ciao » ?

Le *ciao* italien dérive du mot *schiavo* (« esclave » en italien). Au Moyen Âge, les Vénitiens avaient réduit de nombreux Slaves en esclavage (*Slavo*, qui a donné *schiavo*); ainsi, le serviteur se présentait à son maître en disant: « *Sono vostro schiavo* » (« je suis votre esclave ») ou à l'extérieur: « *Sono il schiavo di...* » (« je suis l'esclave de... ») ; avec le temps, le serviteur s'annonça par un simple *schiavo di...* ou *schiavo*. La prononciation vénitienne aidant, *schiavo* est devenu *schia'o*, puis *ciao*.

Pourquoi le franglais n'est-il pas si anglais que ça ?

Nous nous plaignons de ce que la langue française est envahie par les mots anglo-saxons. Détrompons-nous: à titre d'exemple, **computer** n'est pas d'origine anglaise, mais un mot latin *(computere)* signifiant « compter avec »; quant à **vortex**, qui nous semble tout droit sorti des films de science-fiction américains, il n'est autre que le « tourbillon » latin. Citons encore **script**, du latin *scriptum* (« écrit »), ou **at** (« à », pour introduire un élément nouveau), puisque, au Moyen Âge, le @ (symbole pour *at*) existait déjà en paléographie ; **flirter**, du français *fleureter* (« conter fleurette ») ; **budget**, de *bougette*, petite bourse fixée à la ceinture ; **mail**, de l'époque où le courrier s'appelait **malle-poste** (nous avons adopté **poste**, les Américains **malle**, anglicisé en *mail*) ; ou **blue-jeans,** la toile fabriquée et teinte au bleu de Gênes ; sans compter tous les mots grecs, comme *kinema* (« mouvement ») qui a donné « cinéma », ou, chez les Anglo-Saxons eux-mêmes, *sugar* (« sucre »), de l'arabe *soukkar*... De nombreux mots « anglais » ne sont donc qu'un simple retour à l'expéditeur.

Pourquoi « parbleu » et « sacrebleu » sont-ils des jurons déguisés ?

Il est un chapelet de jurons qui, pour ne pas citer Dieu (ce qui était péché), se convertissaient en « bleu ». Ainsi, **morbleu** pour « mort de Dieu », **parbleu** pour « par Dieu » ou **sacrebleu** pour « par le sacre de Dieu ! », sans oublier le fameux **jarnidieu** (« je renie Dieu »), qu'Henri IV transforma en **jarnicoton,** le suffixe « coton » faisant référence au nom de son confesseur.

Pourquoi le terme « draguer » ?

Ce verbe, au sens d'aller chercher aventure amoureuse, fait référence (lointaine, très imagée... et peu flatteuse !) au dragage d'une rivière : à l'aide d'un instrument à manche appelé « drague », on racle le fond du cours d'eau afin de faire remonter à la surface tout corps minéral ou végétal enlisé.

Pourquoi dit-on de quelqu'un qu'il fait des « salamalecs » ?

Cette expression nous vient d'Orient. Lorsqu'un Arabe rencontre un autre Arabe, le premier salue par la formule *al-salâm alaykum*, à laquelle l'autre répond *alaykum al-salâm*. Ce salut est accompagné d'un geste du bout des doigts posé sur le cœur, la bouche, avant de s'envoler vers le ciel.

Cette formule, ainsi que la gestuelle compliquée et mal comprise par les chrétiens du Moyen Âge, se transforma en *salâm-alek*, d'où le terme de « salamalecs » pour désigner une attitude jugée alambiquée ou obséquieuse.

Pourquoi appelle-t-on une amende « contredanse » ?

Il y a la danse, qui se fait en rythme, et la contredanse, quadrille très animé fait de galops, agrémenté selon la fantaisie d'entre-chats, de pas de zéphire, qui ne respecte pas le mouvement traditionnel de la danse... Ce mot, appliqué à la conduite auto-mobile, signifie qu'on paie une contravention pour s'être servi de son véhicule selon sa fantai-

Pourquoi dit-on d'une personne maniérée qu'elle est « snob » ?

Les écoles privées réservées aux jeunes filles de la noblesse accep-tèrent, le moment venu, — fortune oblige —, les jeunes filles issues de la bourgeoisie. Pourtant, au moment de l'inscription, une colonne était réservée à la mention « noble » ou « sans noblesse », que l'on abrégeait « s. nob. ». Le terme « snob », qui a évacué le point, désigne une personne voulant se donner de faux airs de noblesse.

Pourquoi le piano est-il « forte » ?

Le clavecin, ancêtre du piano, ne permettait qu'une amplitude restreinte de l'intensité du son en raison de ses cordes pincées. L'instrument qui lui succéda, inventé par Cristofori au début du XVIIIᵉ siècle, permettait de jouer *piano* (doux) et *forte* (fort), et c'est pourquoi on lui donna, logiquement, le nom de *piano-forte*. Et le piano fut.

Pourquoi les lieux où l'on boit du café portent-ils le nom du breuvage noir ?

La première « boutique de café » fut ouverte à Venise en 1640, mais c'est au XVIIIᵉ siècle qu'en fut lancée la mode. La « boutique de café » était le lieu de rencontre des artistes, des nobles, des grandes dames, des intrigues… À Paris, le premier café – le Procope – ouvrit ses portes en 1686. Le café se déclina en café-restaurant, en café-théâtre, en café-concert…

Pourquoi le mot « kamikaze » ?

Mot japonais, *kamikaze* (« tempête providentielle ») désigne un vent glorifié pour avoir, à deux reprises, dispersé la flotte mongole de Kubilay Khan, en 1274 et en 1281. Les pilotes japonais de la Seconde Guerre mondiale reprirent le terme pour se désigner eux-mêmes métaphoriquement, acceptant de se donner la mort en écrasant leur appareil contre celui de l'ennemi.

Pourquoi aime-t-on les plaisirs « à gogo » ?

Cette expression, qui évoque l'idée de disposer d'une chose à volonté, est une altération de l'ancien français *gogue*,

synonyme de divertissement, plaisir, d'où découle l'adjectif
« goguenard ».

Pourquoi dit-on que l'on fait valoir son « droit de veto » ?

Veto est la première personne du singulier du verbe latin *vetare*
(« s'opposer »). La formule était employée par le roi de France
lorsqu'il voulait s'opposer à une loi.

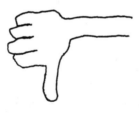

Les Pourquoi du Vêtement

Pourquoi l'ourlet doit-il son nom à un poisson ?

On consommait beaucoup de marsouin au Moyen Âge ; on le débitait aux halles et la peau, récupérée et revendue, servait de bordure aux vêtements sous le nom d'*orle de porpois de mer*. On disait qu'on *orlait* les vêtements et, la prononciation aidant, le terme évolua en « ourlet ».

Pourquoi la confusion entre les « chaussettes » et les « bas » ?

Au Moyen Âge, les vêtements étaient faits par les *tailleurs de robes* (terme qui désignait des vêtements pour les deux sexes). Les *chaussetiers* étaient les faiseurs de *chausses* (bas).

Au XVe siècle, les chausses s'élevèrent jusqu'à la braguette. Ces « caleçons » ou « hauts-de-chausses », comme on les appela, furent adoptés par la noblesse ; pour les distinguer, on appela les chausses courtes *bas-de-chausses*, qui finirent en « bas ».

Pourquoi les hommes boutonnent-ils leurs vêtements à l'inverse des femmes ?

L'homme, combattant, portait l'épée de la main droite, laissant à la main gauche le soin d'ajuster le bouclier, l'armure, le heaume. La femme, destinée à s'occuper des enfants et entretenir le foyer, portait son dernier-né sur le bras gauche, laissant à la main droite le soin de déboutonner son corsage pour allaiter (mais aussi pour pouvoir faire la cuisine ou déplacer des objets) : ainsi ont été pensés les vêtements de l'un et l'autre sexe.

Pourquoi le maillot de bain deux-pièces a-t-il été baptisé « bikini » ?

Le maillot de bain deux-pièces, véritable « bombe » dans l'habillement féminin, puisqu'il dénudait et « libérait » davantage la femme, fit son apparition dans les années soixante. D'où l'idée de son créateur de lui donner le nom d'un îlot du Pacifique où les États-Unis avaient procédé aux premiers essais nucléaires de la bombe H à partir de 1946.

Pourquoi le nom de « bermuda » ?

Le bermuda doit son nom aux îles Bermudes, où les Américains ont commencé à porter ce genre de short.

Pourquoi certaines personnes sont-elles dites « collet monté » ?

La mode vestimentaire à l'origine du terme a été lancée par Catherine de Médicis : il s'agissait d'une collerette rigide enroulée autour du cou, qui donnait un air de rigidité à la personne ainsi apprêtée. L'expression figurée s'applique aux gens guindés ou pédants.

Pourquoi n'aime-t-on pas les gens qui « tournent casaque » ?

C'est Charles-Emmanuel, duc de Savoie, qui a donné à cette expression ses lettres de noblesse. Dans son ambition de devenir roi, Charles-Emmanuel n'hésitait pas à changer d'alliances comme tournait le vent.

Il portait une tunique (ou « casaque ») blanche sur une face et rouge de l'autre. Ainsi, lorsqu'il s'allia à la France, il arbora sa casaque du côté blanc et la retourna lorsqu'il s'allia à l'Espagne, montrant alors le côté rouge de son habit. Ce penchant à « tourner casaque » le fit moquer par ses pairs, et le terme devint une boutade fort prisée. Aujourd'hui, on préfère dire de l'opportuniste qui change d'avis ou d'alliance qu'il **retourne sa veste.**

Pourquoi « godillot » n'est-il pas un mot d'argot ?

Désignant aujourd'hui de vieilles chaussures grossières, le godillot fut le soulier dont on équipa les poilus. Il doit son nom à Alexis Godillot (1816-1893), industriel français qui inventa ces fameux brodequins inusables, spécialement conçus pour les longues marches qu'imposa la guerre de 1870.

Pourquoi le blue-jeans est-il européen ?

Le blue-jeans, rendu célèbre par un nommé Levi, doit son nom à la célèbre toile teinte au « bleu de Gênes », expression transcrite selon la prononciation anglo-saxonne.

Pourquoi le cardigan eut-il tant de succès ?

Veste de laine sans col ni revers et boutonnée par-devant, d'un usage simple et pratique pour les militaires, ce tricot fut baptisé du nom de son concepteur, le comte de Cardigan (1797-1868), général anglais qui commanda, pendant la guerre de Crimée, la charge de la brigade légère.

Pourquoi le catogan a-t-il été mis à la mode?

La queue-de-cheval, coiffure masculine qui se répandit en France au XVIIIᵉ siècle, doit son nom à un général anglais, William Cadogan (1675-1726), qui lança la mode, à l'origine conçue pour les soldats, des cheveux retenus dans la nuque par un ruban.

Pourquoi Arlequin porte-t-il un costume bigarré?

Ce héros des farces populaires se rattache aux légendes du Moyen Âge, qui le représentent errant la nuit avec une troupe de fantômes tous punis pour leurs crimes et jouant des tours pendables. Son nom lui vient probablement de l'allemand *Erlkönig* (le « roi des Aulnes »), personnage fantastique immortalisé par une ballade de Goethe. *Erlkönig* se mua, dans le latin du Moyen Âge, en *Erlechinus*, *Arlechinus*, pour devenir « Arlequin ». Selon une légende italienne, une mère de famille, trop pauvre pour faire le traditionnel déguisement de carnaval pour son fils, alla de porte en porte, emmagasina tous les morceaux de tissu que lui donnaient l'une ou l'autre matrone, mais trop peu pour faire un costume de couleur unie. Elle eut alors l'idée de découper les tissus multicolores et de les assembler, créant ainsi le célèbre costume.

Pourquoi les mots « chèche » et « chéchia »?

Le chèche est une longue écharpe pouvant faire office de turban et servant à protéger tant de la chaleur que des vents de sable. Ce mot est la translittération de l'arabe *Châchîya*, nom de la ville (aujourd'hui Tachkent) d'Ouzbékistan où l'on fabrique des bonnets en forme de calotte du nom de « chéchia ».

Pourquoi le forgeron porte-t-il un bracelet de force autour du poignet?

Ce brassard de cuir que portent les forgerons sert à diminuer la vibration ou l'onde de choc due aux coups de marteau répétés, qui monte de la main à l'épaule. Le bracelet (ou poignet) de force protège les articulations et les tendons en serrant au maximum le muscle du bras (on le voyait déjà au bras des gladiateurs).

Les Pourquoi
des Métiers

Pourquoi faire des « comptes d'apothicaire » est-il jugé aussi fastidieux?

L'apothicaire (ancien nom du pharmacien) vendait herbes et potions, qu'il préparait dans son laboratoire, mais faisait également commerce de denrées rares, comme les épices et le sucre, vendues en petites quantités. Il pesait tout au milligramme près et passait un temps fou à additionner ces doses infimes. D'où l'idée de tâche fastidieuse liée aux « comptes d'apothicaire ».

Pourquoi le caducée des médecins est-il constitué d'un bâton, surmonté de deux ailes, autour duquel s'enroulent deux serpents?

Fils de Zeus et de la nymphe Maïa, Hermès était représenté sous la forme d'un homme jeune coiffé d'un chapeau ailé et portant des sandales, également ailées. Il tenait en main le caducée, baguette d'olivier entourée des deux serpents qu'il avait un jour séparés alors qu'ils se battaient. Gardien des routes, des voyageurs, des commerçants et des voleurs, il était également le messager des autres dieux. Hermès était associé aux Enfers, car il avait le pouvoir de faire passer les hommes de la veille au sommeil, de la vie à la mort, et d'accompagner les ombres des mortels jusqu'au Styx. Son caducée devint l'emblème des médecins. Quant au mot « caducée », il est la transcription du grec *kerukeion* ou du latin *caduceus*, « bâton ».

C'EST UNE PIQURE DE SERPENT...

Pourquoi les boulangers donnaient-ils treize pains aux clients qui leur en achetaient douze?

Tous les aliments se vendaient jadis au poids, mais on décida de faire un sort à part au pain, denrée de base s'il en est, en lui donnant un prix fixe. Mais, selon les fluctuations du prix du blé, les préposés aux poids et mesures avaient l'habitude de diminuer ou d'augmenter la grosseur des pains.

Le grand pain, ou *doubleau*, se vendait par trois; le pain simple, ou *denrée*, s'achetait à la douzaine ou à la demi-douzaine. Pour gage de bonne foi, le boulanger faisait remise d'une obole sur six pains, d'un denier sur douze, ou (ce qui revenait au même) il offrait un treizième pain pour la douzaine, d'où l'expression **treize à la douzaine**.

À noter l'origine du nom **boulanger**: appelé d'abord *talemelier* parce qu'il se servait d'un tamis pour séparer la farine du son, il prit ensuite son nom moderne parce que le pain, en ce temps-là, avait la forme d'une boule.

Pourquoi mettait-on sa montre « au clou »?

Le prêteur sur gages officie sur terre depuis que la monnaie a vu le jour. Autrefois, les objets mis en gage étaient souvent modestes et de petite taille; ils étaient alors simplement suspendus à un clou. Faute d'avoir été récupéré, l'objet pouvait être mis en vente au bout d'un an et un jour; si la valeur de la chose vendue était plus importante que le montant du prêt avec ses intérêts, le prêteur sur gages était contraint de reverser la différence au débiteur. Aujourd'hui encore, contrairement au prêteur sur gages, qui a disparu, l'expression, elle, n'est pas tout à fait tombée en désuétude.

Pourquoi le terme « mont-de-piété » ?

Le mont-de-piété, ou *monte di pietà*, quant à lui, fut créé par Barnabé de Terni, un frère mineur de Pérouse. Désireux d'arracher des mains des usuriers les malheureux qui étaient contraints de recourir à l'emprunt, il collecta des aumônes pour former un fonds sur lequel on prêtait aux nécessiteux en ne leur demandant qu'un très faible intérêt (parfois pas d'intérêt du tout). Dans la langue italienne médiévale, *monte* répondait à l'idée de collecte de dons et *pietà* à « pitié ».

Les monts-de-piété furent officiellement établis à Paris sous le règne de Louis XVI par lettres patentes du 9 décembre 1777.

Pourquoi est-il bon d'« en connaître un rayon » ?

Par analogie avec la disposition des rayons dans une ruche, on a appelé « rayons » les planches disposées dans une armoire ou sur des supports et destinées à recevoir des marchandises. Le Moyen Âge a développé le métier de mercier et inventé le concept de grand magasin. Avec le développement du commerce, il fallut aux marchandises un espace plus vaste que de simples planches et, par conséquent, ce fut l'ensemble de planches ou d'étagères portant un même type de marchandises qui prit le nom de « rayon » : rayon jouets, rayon bricolage, rayon confection… entraînant une spécialisation des vendeurs, capables de guider et conseiller le client, et connaissant donc leur rayon…

Pourquoi le nom de « mercenaire » ?

« Merci », du latin *merces* (« salaire ») est la racine du mot « mercenaire », qui n'est autre qu'un civil recruté pour une mission ou un conflit ponctuel, en tant que soldat, contre salaire.

On aura compris que le mot « merci » est, dans cette ancienne acception, un salaire symbolique, attribué en contrepartie d'un acte ou d'une aide désintéressés.

Pourquoi faut-il « battre le fer tant qu'il est chaud » ?

Il faut profiter du moment opportun pour mener à bien son entreprise : plus on attend, plus on aura de difficultés à parvenir à ses fins, à l'image du fer qui est malléable tant qu'il est chaud mais se fige quand il refroidit, devenant impropre au travail, au façonnage.

Pourquoi la braderie doit-elle son existence aux riches bourgeois ?

L'idée de braderie a vu le jour au Moyen Âge. Les domestiques étaient autorisés, une fois l'an, à revendre sur la place publique les vieux vêtements de leurs maîtres. L'argent récolté constituait en quelque sorte leur treizième mois. La braderie était donc l'occasion pour les uns de se débarrasser du trop-plein de leurs armoires, pour les autres de faire une bonne affaire.

Pourquoi chaque atelier portait-il une enseigne au Moyen Âge ?

Au Moyen Âge, rares étaient les gens qui savaient lire. Ainsi, les nouvelles (publicité de certaines denrées, arrivage de marchandises, nouveaux marchands installés dans le quartier) étaient annoncées à la criée. Encore fallait-il pouvoir reconnaître la boutique indiquée. Sur l'enseigne, au-dessus de la porte, était peint l'objet symbole de la corporation ; ainsi, même les illettrés pouvaient s'y retrouver.

Pourquoi la première carte du monde est-elle dite « de Mercator » ?

C'est à Gerhard Kremer, dit Mercator (1512-1594), géographe et mathématicien flamand, que nous devons la première carte du monde avec méridiens et parallèles à l'usage des navigateurs et des marchands, appelés eux-mêmes *mercatoris* en latin — le *mercator* exerçant un commerce, un négoce *(mercatus)* avec des marchandises, des denrées *(merces)*.

Quant à **atlas,** nom générique donné aux livres de géographie et de cartographie, il doit également son origine à Mercator, qui publia ses cartes dans un recueil dont le frontispice représentait le Géant Atlas portant le monde sur ses épaules.

Pourquoi le timbre-poste a-t-il été inventé ?

Si l'origine du service postal remonte à la Chine et à l'Égypte antiques, il était également utilisé de façon régulière dans l'Empire perse, mais réservé au gouvernement. L'Empire romain perfectionna le système en le plaçant sous le contrôle de l'armée ; les particuliers, exclus, avaient recours à des courriers personnels ou à des réseaux privés. En France, durant le Moyen Âge, il n'existait guère de routes praticables par les voitures qu'aux environs de Paris ; ailleurs, les chemins étaient à peine tracés et le transport des lettres ne pouvait se faire que dans une malle attachée sur le dos d'un cheval.

À partir du XVᵉ siècle, l'amélioration des routes et les relais de chevaux favorisèrent l'acheminement de la correspondance par voiture et la malle donna son nom à la voiture qui la transportait : la malle-poste. Au service des courriers à cheval, on adjoignit celui des voitures pour passagers et bagages, ainsi que les transports maritimes postaux. Mais le système de paiement des frais restait confus et aléatoire. La réforme anglaise de 1840 adopta le paiement anticipé des frais de port et le tarif unique, quelle que fût la distance : ainsi est née l'idée du timbre-poste. Dans la continuité de la poste, notons que le mot « cedex » est l'abréviation de « courrier d'entreprise par distribution exceptionnelle ».

Pourquoi le nom de « croque-mort » ?

Au Moyen Âge, on n'avait aucun moyen scientifique fiable de savoir si un homme était passé de vie à trépas. Ainsi, avant la mise en bière, un employé était chargé de mordre un pied du défunt. Si le *feu* n'avait aucune réaction, il était déclaré mort. On appela « croque-mort » l'employé préposé à « croquer » le pied du mort et on généralisa le terme à tout employé des pompes funèbres.

Pourquoi le nom de « cordonnier » ?

Cordoue, ville d'Espagne, était réputée au Moyen Âge pour le traitement des cuirs. Préparés et teints à la façon « maroquin », ils étaient célèbres dans tout le monde méditerranéen (selon les cuirs employés, on était *basanier*, *savetonier*, baudroyeur, corroyeur, gantier, fabricant d'outres, de bâts, de selles, de bourses, de parchemin…). On appelait ces artisans *cordouaniers* (de Cordoue) ou « cordonniers ».

Pourquoi évoque-t-on la « foi du charbonnier » ?

Cette comparaison s'applique à la foi simple et naïve de celui qui croit sans discuter. Le charbonnier, qui travaille à faire le charbon, n'a nul besoin de grands enseignements théologiques, ni d'âpres discussions sur la religion, pour croire : il croit simplement avec son cœur, et cela lui suffit.

Les Pourquoi de quelques expressions courantes

Pourquoi l'expression être « d'estoc et de taille » ?

Ce terme fait référence aux épées de l'époque médiévale. Jusqu'au XIIIe siècle, l'épée était faite pour frapper « de taille » (coup porté avec le fil de l'épée, son arête tranchante) ; à partir du milieu du XIIIe siècle, le combattant se met à frapper « d'estoc » (coup porté dans l'axe de l'épée pour transpercer son adversaire) : il faut une lame pointue et rigide pour écarter les fils de la cotte de mailles ou pour frapper entre les pièces de l'armure.

Ainsi, dire de quelqu'un qu'il frappe « d'estoc et de taille » signifie qu'il est capable de porter son coup aussi bien en tranchant qu'en transperçant, de se battre de toutes les manières possibles.

Pourquoi une « vie de patachon » n'est-elle pas enviable ?

Au XIXᵉ siècle, « patache » était le nom d'un sous-produit de la diligence ; non suspendue, et donc inconfortable, cette voiture permettait de voyager à moindres frais. Le « patachon », son conducteur, qui était toujours bringuebalé en tous sens, inspira cette expression, qui évoque une vie mouvementée et dissolue.

Pourquoi dire « on n'est pas sorti de l'auberge » ne présage-t-il rien de bon ?

Cette expression est le triste rappel de ce qui se passa dans la désormais fameuse auberge de Peyrebeille, en Ardèche... Les époux Martin se fixèrent en 1808 dans ce hameau et reprirent le Coula, un corps de ferme ayant appartenu aux parents de Marie (l'épouse). Le couple transforma le Coula en auberge-relais pour chevaux de poste et, dix ans plus tard, il construisit d'autres bâtiments pour en faire une auberge, qui jouissait d'une excellente réputation grâce

à l'attrait de sa table. Les affaires prospérèrent jusqu'à l'arrestation des époux Martin en 1831, date à laquelle on découvrit qu'ils tuaient les voyageurs durant la nuit et les dépouillaient avant de faire disparaître leurs corps.

On a pris coutume de dire, devant une entreprise hasardeuse et vouée à l'échec, qu'« on n'est pas sorti de l'auberge ».

Pourquoi parler d'une repartie « cinglante » ?

Adresser à quelqu'un une remarque « cinglante », c'est l'atteindre par des mots blessants. « Cingler » nous vient de « forger », « corroyer », c'est-à-dire déformer un métal à chaud. Le forgeron porte l'acier brut à l'état de fusion puis le place sur l'enclume, où l'acier est frappé non par un, mais par plusieurs forgerons qui relaient leurs coups afin d'en extraire toutes les impuretés ; on dit qu'ils « cinglent » le métal.

Pourquoi arrive-t-il que quelqu'un se dise « chauffé à blanc » ?

Pour travailler le métal, le forgeron le chauffe jusqu'à le rendre malléable. Selon la température, le fer change de couleur. À 700 °C il est rouge sombre ; à 1 000 °C il devient orange ; à 1 100 °C il devient jaune, et vers 1 300 °C il devient blanc. Il vire au blanc juste avant de fondre. Ainsi, l'expression (très masculine) consistant à dire d'une femme qu'elle l'a « chauffé à blanc » signifie qu'elle l'a ému, qu'elle l'a excité au plus haut degré.

Pourquoi dit-on de quelqu'un qu'il s'est fourré dans une « galère » ?

Ce terme, exprimant la situation difficile où une personne s'est mise, est tiré des *Fourberies de Scapin,* de Molière. Géronte est avare et rien n'est plus précieux à ses yeux que son argent ; Scapin veut lui arracher 500 écus pour racheter son fils Léandre, prétendument enfermé à bord d'une galère turque. Au supplice, Géronte ne cesse de répéter : « Mais que diable allait-il faire dans cette galère ? »

Pourquoi dit-on qu'il n'est pas enviable de « tirer le diable par la queue »?

Se procurer péniblement le nécessaire, en être réduit à vivre d'expédients quand on n'a plus d'autre moyen d'échapper à une situation misérable, c'est « tirer le diable par la queue ». Pour expliquer cette métaphore, il faut savoir qu'au Moyen Âge l'usurier, qui pratiquait le prêt à intérêt, était représenté sous la forme du diable. À l'époque, l'homme à bout de ressources et ne sachant plus à qui s'adresser finissait par recourir à l'assistance du diable (l'usurier) ; et ce diable, qu'on avait d'abord voulu mépriser, il fallait désormais le « tirer par la queue » pour le retenir.

Pourquoi le mot « marotte »?

La *marotte*, sceptre des fous, était un bâton surmonté d'une petite figure ridicule, portant une coiffe ornée de grelots. La « marotte », c'est l'idée fixe, la fantaisie persistante, le grain de folie propre à chacun : voilà le sens de ce terme qui laisserait supposer que nous sommes tous fous et que, si nous n'avons pas la marotte à la main, nous l'avons tous plus ou moins dans la tête.

Pourquoi l'expression « faire la pluie et le beau temps »?

C'est la foi aveugle que l'on avait au Moyen Âge dans les prédictions des astrologues qui est à l'origine de cette expression. L'astrologie était une science à part entière et les astrologues, doctes savants, étaient pris très au sérieux. Leur art les avait rendus très puissants et on sait, par exemple, quelle influence Cosimo Ruggieri exerça sur Catherine de Médicis. De cette influence des astrologues est venue l'habitude de dire de quelqu'un qu'il « fait la pluie et le beau temps », qu'il régente tout grâce à sa grande autorité et à son crédit.

Pourquoi dit-on des gens corrompus qu'ils touchent des « pots-de-vin » ?

Le grand bouteiller de France était l'un des principaux officiers de la couronne au XIIIe siècle ; il avait juridiction sur tous les cabarets et auberges et prélevait pour son compte un « droit de forage » (un impôt en nature) sur le vin mis en vente sur toute l'étendue du domaine royal. Certaines complaisances aidant, ce droit finit par prendre le nom de « pot-de-vin ».

Pourquoi le mot « banni » a-t-il une connotation déshonorante ?

En des temps où l'on ne savait pas lire, les annonces officielles étaient proclamées en place publique, précédées et suivies de roulements de tambour signifiant l'ouverture et la fermeture du ban. Parmi ces annonces figuraient les condamnations : le nom des personnes condamnées ou exilées était rendu public, d'où les termes de « mis au ban » et de « banni ».

Pourquoi dit-on de quelqu'un ou de quelque chose qu'il (elle) est « mi-figue, mi-raisin » ?

Au Moyen Âge, le commerce entre les États chrétiens et l'Orient était fécond. Chaque région avait sa spécialité : si les vins italiens étaient réputés pour leur saveur, on prisait le raisin sec de Corinthe, que Venise importait en quantité.

Certains commerçants peu scrupuleux y mêlaient des morceaux de figue sèche, moins onéreuse, vendant le tout au prix fort. Ce mélange de bon (mi-raisin) et de mauvais (mi-figue) a généré l'expression que nous connaissons.

Pourquoi d'aucuns prennent-ils des « vessies pour des lanternes » ?

Cette expression, qui nous vient encore du Moyen Âge, se rapporte à ceux qui se laissent aisément berner. La vessie de porc gonflée d'air pouvait faire illusion et ressembler à une lanterne ronde. On pouvait donc aisément la vendre à un niais, qui ne savait pas faire la différence et se laissait duper par le marchand peu scrupuleux.

Pourquoi les vessies sont-elles à l'origine du mot « blague » ?

On eut souvent recours à la contrefaçon. Pour les lanternes évoquées ci-dessus, mais aussi pour les blagues à tabac, authentiquement faites avec des poches de pélican ou (le plus souvent) fabriquées avec de simples vessies de porc. Ces « blagues » gonflées d'air furent bientôt apparentées à des propos vides de sens. Ce mot se teinta bientôt de mille nuances, allant du bagout fantaisiste à la gaieté, du ton inoffensif, léger, badin à la plaisanterie. On se plut alors à « dire des blagues ».

Pourquoi dit-on de quelqu'un qu'il est « à la merci » d'un autre ?

Si aujourd'hui « être à la merci de quelqu'un » signifie qu'on est à sa disposition, esclave de son bon vouloir, c'est parce que l'on se réfère à la dépendance qui existait au Moyen Âge entre un paysan et son seigneur, l'un (le paysan) étant la marchandise (ou *merx*, d'où « merci ») de l'autre (le seigneur). En contrepartie des terres qu'il avait le droit de labourer, le paysan reversait une part de ses récoltes ou devait plusieurs jours de travail par an (la « corvée »), que le seigneur pouvait réclamer quand bon lui semblait. On disait donc du paysan qu'il était « à la merci de » son seigneur, ou qu'il était « corvéable à merci ».

Pourquoi dit-on « rire comme un bossu »?

Sans cesse sujet aux railleries, le bossu, ce disgracié, a aiguisé son esprit pour mieux riposter aux attaques, avec une sorte de malice vengeresse. C'est dans ce triste exercice que, réduit à regarder les hommes de biais en raison de sa difformité, il arborait un air narquois, un sourire cynique, répondant de manière caustique, sans égards pour sa cible. D'où ce rire particulier, non pas jovial ou exubérant, mais plutôt grinçant et ironique.

Puisque nous en sommes au rire, pourquoi parle-t-on de « rire sardonique »?

Plus puissant que le rire du bossu, ce rire a une connotation franchement démoniaque.
C'est une plante renonculacée réputée être un poison mortel, l'*apium risus,* également appelée *sardonia*, qui est à l'origine du mot. Selon Ambroise Paré, la *sardonia* contracte de telle sorte les muscles de ceux qui en ont absorbé qu'ils semblent rire malgré leur souffrance, même en mourant.

Pourquoi le proverbe « charbonnier est maître chez soi » ?

Il semblerait que cette expression soit étroitement liée à François Ier. La légende rapporte qu'un jour le roi se perdit lors d'une chasse. Surpris par la nuit, il se dirigea vers une modeste demeure et frappa. Le maître des lieux, un charbonnier, le reçut et lui offrit l'hospitalité avec plaisir ; toutefois, au moment de se mettre à table, et contre toute bienséance, il prit la meilleure place. À l'étonnement de François Ier (un peu vexé, on en conviendra), il argua que « charbonnier est maître chez soi », ou (selon les versions) que « chacun est roy en sa maison ». Quoi qu'il en soit, il ne céda pas sa place au roi.

Pourquoi le dicton « qui dort dîne » ?

Ce dicton peut trouver son fondement dans le fait que le cerveau, durant le sommeil, produit des substances chimiques anesthésiant l'appétence. Mais qui ne s'est réveillé au moins une fois avec une faim de loup ? Il faut en fait remonter au XVIIIe siècle et à l'écriteau : « Qui dort dîne », que les aubergistes clouaient au mur à l'intention des clients désireux de louer une chambre pour la nuit. Les voyageurs avaient en effet l'obligation de prendre le repas du soir à l'auberge.

Pourquoi dit-on couramment de quelqu'un qui est amoureux qu'il a « le béguin » ?

Le béguin, petite calotte de toile, était porté indifféremment par les hommes et par les femmes ; vêtement très personnel, il ne se prêtait qu'entre familiers ou intimes. Ainsi, parler de « béguin » entre deux personnes implique qu'on observe une certaine intimité entre elles, que l'amour est en jeu.

Pourquoi et dans quelles circonstances est-on « sous la coupe » de quelqu'un ?

Il s'agit ici de coupe des cartes. Celui qui a la main mélange puis partage le paquet en deux, fixant ainsi l'ordre de distribution des cartes et, par voie de conséquence, le sort des joueurs. Les différents compétiteurs sont sous l'influence directe du donneur, qui décide de leur sort. Ils sont donc « sous sa coupe ».

Pourquoi n'est-il pas bon d'avoir « un nom à coucher dehors » ?

Cette expression s'applique à un nom imprononçable. Jadis, la charité voulait que l'on posât toujours une assiette supplémentaire à table, pour le cas où un voyageur égaré viendrait à frapper à la porte.

Avec les invasions barbares, la méfiance chassa la générosité, et le pauvre paysan craintif prit l'habitude de claquer la porte au nez de celui qui portait un nom étranger, préférant le laisser coucher dehors plutôt que lui offrir l'hospitalité.

Pourquoi se fait-on parfois « tirer l'oreille » ?

Une coutume romaine voulait que les témoins cités dans une affaire, s'ils négligeaient de se présenter au tribunal, pussent y être contraints d'une manière avilissante : un préposé allait les chercher jusqu'à leur domicile et les emmenait au tribunal en les tirant par l'oreille. Cette méthode humiliante, il va sans dire, incitait à davantage de civisme...

Pourquoi dit-on du cœur qu'il « bat la chamade » ?

La *chamade* était le battement de tambour qui annonçait l'intention des habitants assiégés d'une ville de capituler ou de parlementer. De même, on dit d'un cœur qui cède à l'amour qu'il « bat la chamade ».

Pourquoi dit-on « soutenir mordicus » ?

En latin, *mordicus* signifie « en mordant ». Soutenir une chose *mordicus*, c'est la défendre comme un chien tenant son os, sans lâcher prise, sans renoncer.

Pourquoi dit-on « boire à tire-larigot » ?

Au XIIIe siècle, Odon Rigault, archevêque de Rouen, dota l'église Notre-Dame de Rouen d'une cloche (baptisée la Rigault) d'une taille à ce point prodigieuse qu'il fallait, dit-on, douze hommes pour tirer la corde qui l'ébranlait ; le temps mis à actionner la corde jusqu'au premier tintement était si long que l'on pouvait l'employer à boire vaillamment, et même se soûler : on boit donc pendant qu'on « tire la Rigault »

Mais cette expression pourrait également signifier métaphoriquement : boire comme un sonneur (de cloches). La Rigault, comme on a vu, ne pouvait être mise en mouvement sans de grands efforts. Les sonneurs qui la tiraient buvaient d'autant plus qu'ils étaient altérés par l'effort.

D'aucuns remontent beaucoup plus loin dans l'histoire pour trouver la source de cette expression. Lorsque Alaric II, roi des Wisigoths, fut défait par Clovis, les soldats, faisant la fête, se seraient exclamés, tout en buvant joyeusement : *« Je bè à ti, rei Alaric goth. »*

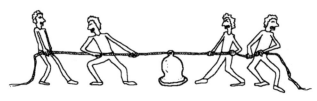

Pourquoi dit-on que « Dieu reconnaîtra les siens » ?

Simon de Montfort (v. 1150-1218), qui s'était illustré durant la quatrième croisade, fut nommé chef de l'armée en guerre contre les cathares qui peuplaient en grand nombre le Midi toulousain. Le conflit débuta par la prise et le massacre des habitants de Béziers, le 22 juillet 1209. Le siège fut mis devant la ville, mais les assiégés refusaient de se rendre. L'ordre d'assaut fut donné et on liquida tous les hérétiques sans faire de quartier. Un soldat demanda à Arnaud Amaury, légat du pape Innocent III, comment distinguer les hérétiques des autres habitants, et celui-ci répondit : « Tuez-les tous, Dieu reconnaîtra les siens. » La prise de Béziers fit 22 000 victimes.

Pourquoi, avant une entreprise hasardeuse, s'exclame-t-on « alea jacta est » ?

« Le sort en est jeté » *(alea jacta est)*, phrase célèbre prononcée par César, est associée à la non moins célèbre expression **franchir le Rubicon,** liée à la même aventure.

Le Rubicon, rivière coulant entre Ravenne et Rimini, marquait la frontière entre l'Italie et la Gaule. Dans la nuit du 11 au 12 janvier 49 av. J.-C., après mûre réflexion et sans l'autorisation du Sénat, Jules César traversa cette rivière avec son armée, ce qui équivalait à une déclaration de guerre. Avant de franchir le Rubicon il s'exclama : « *Alea jacta est* » (en d'autres termes : « Advienne que pourra »).

Pourquoi conseille-t-on à nos proches de ne pas « se mettre martel en tête » ?

Martel, vieux mot français, signifie marteau. Lorsqu'on est préoccupé par une chose, elle nous revient sans cesse à l'esprit, comme un marteau qui frappe le fer sur la forge. Dire à quelqu'un qu'il ne doit pas se mettre martel en tête, c'est lui conseiller de ne pas se laisser harceler par ses préoccupations.

Pourquoi dit-on « courir comme un dératé » ?

Voulant vérifier les dires de Pline, qui prétendait que les Anciens desséchaient la rate des coureurs aux olympiades pour leur permettre de courir plus vite, des chirurgiens tentèrent plus tard d'enlever leur rate à des animaux pour voir si cette croyance était fondée. Ils ne purent malheureusement prouver qu'un « dératé » court plus vite qu'un autre, même si l'expression nous est restée.

Pourquoi dit-on (surtout les policiers au cinéma): « Je suis de la maison »?

Il s'agit là de l'évolution d'une expression du français médiéval, *connaître les estres de la maison*, à savoir connaître les portes, les escaliers, les couloirs, les issues. *Estre* a perdu son *s* pour devenir « être », et *connaître les êtres de la maison* a fini par devenir « être de la maison », que l'on a plaisamment conjugué en « je suis de la maison ». D'aucuns se plaisaient également à dire : « Nourri dans le sérail, j'en connais tous les détours. »

Pourquoi « porter son fardeau » évoque-t-il des épreuves à supporter?

Les marchands du Moyen Âge utilisaient diverses unités de mesure pour quantifier les marchandises : tonneau, caisse, rouleau, botte, sac, fardeau, selon la nature de la denrée. Ce dernier était utilisé pour les denrées légères comme le coton. Ainsi, un *fardeau* de coton, qui pesait près de 500 kilos, était très volumineux : il était donc à la fois lourd et encombrant...

Pourquoi l'expression « renvoyer aux calendes grecques » ?

« Calendes » est la traduction de *calendae*, le premier jour du mois chez les Romains. Le *calendarium* (devenu « calendrier » en français) était un livre de comptes sur lequel étaient reportées les factures dues le 1er du mois. Ce système n'existait pas chez les Grecs. D'où « renvoyer aux calendes grecques », c'est-à-dire à jamais.

À propos, pourquoi le calendrier et l'almanach étaient-ils distincts ?

Le *calendarium* n'est qu'un cousin éloigné de l'almanach, avec lequel on le confond souvent. L'almanach, que l'on doit aux musulmans (*al-manakh*, « mouvement des astres »), énumérait toutes les fêtes du calendrier musulman et contenait les données astrologiques utiles pour les semailles, les dates favorables aux saignées ou aux travaux agricoles. Les chrétiens l'adoptèrent et le christianisèrent.

Quelques dictons de l'almanach, pour exemple :

« Noël sans lune, de trois brebis il en reste une. »
« Quand à Noël tu prends le soleil, à Pâques tu te rôtiras les orteils. »
« Noël un mardi, mauvais temps pour les semis. »
« Quand Noël est étoilé, force paille, guère de blé. »

Pourquoi l'expression « jeter de la poudre aux yeux » ?

On jetait de la poudre aux yeux bien avant l'invention de celle-ci, ce qui tend à prouver que c'est de poussière dont il s'agit ici, et non de poudre à canon ou pour le maquillage… Déjà les lutteurs grecs envoyaient de la poussière dans les yeux de leurs adversaires pour les aveugler ; les coureurs les plus agiles, pour garder l'avantage lors des olympiades, jetaient une poignée de poussière à ceux qui les suivaient de trop près. « Jeter de la poudre aux yeux », c'est donc tenter d'aveugler et, par extension, d'impressionner son interlocuteur.

Pourquoi une « mise à pied » est-elle punitive ?

Renvoyer quelqu'un, parfois temporairement, de son travail ou de son école, en guise de sanction pour une faute commise, c'est le « mettre à pied ». Cette expression est empruntée à la cavalerie : pour le punir, on privait le grenadier de son cheval pour plusieurs jours ou plusieurs semaines ; il était donc « mis à pied ». Comme le but de la sanction était de lui apprendre à vivre, on disait alors : **Ça lui fera les pieds**, autre expression qui nous est restée.

Pourquoi certains choisissent-ils de « tirer au flanc » ?

Une troupe, également nommée « corps » (d'armée), possède un front, un ventre et des flancs. Le front est la position la plus

périlleuse, car c'est lui qui entre en contact direct avec l'ennemi...
Les flancs (un de chaque côté) sont généralement une zone
moins active qui ne vient qu'en renfort, après le choc frontal.
« Tirer au flanc » consiste donc à se diriger vers le flanc dans
l'espoir de n'avoir pas à combattre. Cette expression militaire,
passée dans le langage courant, exprime le fait de chercher à se
faire oublier pour se la couler douce.

Pourquoi appelle-t-on « bleu » un novice ou une nouvelle recrue ?

Le bizutage, dans la marine, consistait à enduire le sexe des
nouvelles recrues avec du cirage ; la couleur, qui ne s'en allait
qu'au bout de quelques jours (passant du noir au bleuté), permettait aux anciens de reconnaître les « bleus », c'est-à-dire les
nouveaux, quand ils passaient sous la douche.

Pourquoi prétendre que « c'est mon petit doigt qui me l'a dit » ?

Le petit doigt porte le nom d'« auriculaire »
(du latin *auricula*, « oreille ») parce qu'il
serait le seul de nos doigts à pouvoir
être introduit dans l'oreille. D'où cette
image d'espion, destinée à faire croire
aux enfants que l'auriculaire s'introduit
dans l'oreille pour murmurer des secrets,
et ainsi cette expression couramment
utilisée.

Les Pourquoi de l'Ambition

Pourquoi aime-t-on « être porté au pinacle » par ses pairs ?

Le pinacle, partie la plus haute du temple de Jérusalem, est l'endroit où le diable plaça Jésus pour le soumettre à la tentation du pouvoir. « Être porté au pinacle » signifie donc être porté au sommet, placé dans une position de réussite et de gloire.

Pourquoi rêve-t-on du « pays de cocagne »?

Le nom de ce pays imaginaire, où l'on mène une vie de plaisir et d'abondance, tire son origine de la teinture bleu pastel dont le Languedoc avait su tirer un florissant commerce. Le pastel, ou isatis, ou *cocanha*, était une plante qui se vendait à prix d'or dans tout le monde médiéval ; bouillie, puis compactée en *cocagnes* ou *coquaignes*, elle servait de base tinctoriale (la seule teinture durable) pour la coloration des tissus. Marco Polo tua ce commerce en rapportant l'indigo de Chine.

N'oublions pas, en passant, le **mât de cocagne,** qui était une attraction de foire : les volontaires faisaient le spectacle en allant décrocher au sommet d'un mât, enduit de suif ou de savon noir pour le rendre plus glissant, une friandise, un gibier ou une timbale en argent (d'où une autre expression : **décrocher la timbale**).

Pourquoi bâtit-on des « châteaux en Espagne »?

Rêver de fortune, fonder des espoirs ou des projets insensés, c'est « bâtir des châteaux en Espagne ». Mais pourquoi en Espagne ? Cette expression date des invasions maures, époque où il était défendu de bâtir des châteaux dont les ennemis auraient pu s'emparer et où ils se seraient fortifiés. Henri de Bourgogne et ses troupes, partis combattre les infidèles au-delà des Pyrénées, y gagnèrent gloire et butin ; le succès de ces illustres aventuriers excita les espérances de la noblesse française, dont les rêves de grandeur (féodalité oblige) étaient liés à l'idée de possession d'un château. Elle se mit donc à rêver de châteaux en Espagne...

Pourquoi parle-t-on d'un « eldorado » ?

Ce terme désigne un lieu chimérique où la vie est facile, faite de délices et d'une profusion de trésors. Les conquistadors espagnols imaginaient trouver un pays mythique entre l'Amazone et l'Orénoque, qui regorgerait de trésors : c'est la raison pour laquelle ils lui donnèrent le nom d'*el Dorado*, « le Pays doré ».

Pourquoi dit-on que trouver un fer à cheval porte bonheur ?

Au bas Moyen Âge, le fer était très rare, par conséquent très cher. Trouver un fer à cheval était donc de bon augure : on pouvait le revendre au forgeron pour récolter quelques pièces sonnantes et trébuchantes, ou encore le lui donner à fondre pour en faire des objets utiles.

Pourquoi désire-t-on « toucher le pactole » ?

Pour le remercier d'avoir recueilli son père Silène, Dionysos proposa à Midas, roi de Phrygie, d'exaucer le vœu de son choix. Midas demanda alors que tout ce qu'il toucherait fût transformé en or. Mais sa félicité se mua très rapidement en cauchemar... car, lorsqu'il se mit à table, il vit que nourriture et boisson aussi se transformaient en or. Condamné à mourir de faim, il demanda à Dionysos de rompre son vœu. Ce dernier lui dit alors de se baigner dans le fleuve Pactole pour en être « lavé ». De ce jour, les eaux du fleuve restèrent chargées de paillettes d'or. Dire qu'on a « touché le pactole » revient à affirmer qu'on a gagné beaucoup d'argent, qu'on s'est bien « remplumé ».

Pourquoi le Pérou est-il associé à l'idée de fortune?

En 1531, les conquérants espagnols débarquaient au Pérou, centre de l'Empire inca fondé par Manco Capac, et bientôt réputé pour ses mines d'or. Avec l'extermination des Incas, le Pérou devint espagnol et les nouveaux maîtres développèrent l'industrie minière à grand rendement, faisant de ce pays le symbole d'une richesse inépuisable. C'est ce que reflètent les expressions **c'est le Pérou** et **ce n'est pas le Pérou.**

Et la variante « c'est Byzance »?

Capitale de l'empire d'Orient après Rome, Byzance était connue pour sa richesse opulente, son luxe, ses plaisirs, son raffinement.

Pourquoi confond-on « valoir son pesant d'or » et « valoir son besant d'or »?

Le besant d'or était une monnaie fort prisée durant les croisades : on trouvait le besant de Byzance *(bizantium)* et celui du monde musulman *(sarrazinas).*
Les premiers croisés partirent en campagne munis de fonds considérables : ils transportèrent des monceaux de lingots d'or et de pièces de monnaie (rien que des deniers) jusqu'à Constantinople. Arrivés là, ils n'en furent pas moins éblouis par l'opulence des Byzantins, dont la monnaie était le besant d'or grec — tandis qu'au sud d'Antioche, c'était le *sarrazinas*, monnaie usuelle et officielle de la région, qui avait cours.
D'où l'expression « valoir son besant d'or », avoir une très grande valeur.
Mais l'expression concurrente « valoir son pesant d'or », aujourd'hui beaucoup plus employée, fait référence à l'Inde des

maharadjahs, où la valeur des gens se mesurait à leur poids. Ainsi, les princes se laissaient-ils aller à l'embonpoint pour gagner en valeur...

Pourquoi ceint-on le front des héros avec du laurier ?

Pline nous l'explique : « Ce n'est pas parce qu'il est éternellement vert, ni parce qu'il apporte la paix (pour ces deux raisons l'olivier lui est préférable), mais parce qu'il est la plante la plus remarquable sur le mont Parnasse, et parce qu'il est le seul arbre à ne pas être frappé par la foudre. » En fait, à Olympie, c'étaient les branches de l'olivier sauvage *(callistephanos)* qui servaient à confectionner les couronnes pour les vainqueurs des olympiades, mais d'autres cités (panhelléniques) lui préféraient le laurier.

Les Pourquoi de l'Histoire

Pourquoi dit-on « nos ancêtres les Gaulois » ?

Cette expression date de la fin du XIXe siècle, et plus précisément des débuts de la IIIe République. On avait alors besoin d'un modèle fort pour affirmer notre origine purement française. Rejetant l'apport de la Rome antique, on se référa à la mythologie franque pour évoquer nos ancêtres, d'où la réécriture de l'histoire, l'appropriation de nos ancêtres gaulois, avec Vercingétorix et ses successeurs...

Pourquoi le coq est-il l'emblème de la France ?

L'invasion de la Gaule par Rome fit des Gaulois des « Gaulois-Romains » (Gallo-Romains). *Gallo* est le datif de *gallus* (« coq », en latin). Voilà pourquoi, en raison de cette paronymie, les « Gallo » ont pris le *gallus* pour emblème.

Pourquoi notre hymne s'appelle-t-il « La Marseillaise » ?

Les deux premières strophes du « Chant de guerre de l'armée du Rhin » furent composées par le capitaine Claude-Joseph Rouget de Lisle et chantées le 25 avril 1792 devant le maire de Strasbourg. Ce chant ne conquit pourtant pas les foules et aurait pu tomber dans l'oubli si un bataillon de volontaires de Marseille ne l'avait plébiscité, l'adoptant comme chant de route, tandis qu'il se rendait à Paris en juillet 1792. L'hymne suscita alors un tel enthousiasme que, de ville en ville, on lui inventait une nouvelle strophe.

Le « Chant de guerre », rebaptisé « L'Hymne des Marseillais », fut repris par toutes les armées.

Le 14 juillet 1795, la Convention décréta que « L'Hymne des Marseillais » serait exécuté chaque jour anniversaire du 14 juillet. Le 14 février 1879, la Chambre des députés confirma « La Marseillaise » comme hymne national.

Pourquoi la fleur de lys est-elle devenue l'emblème de la royauté en France ?

En 493, Clovis le païen épousa Clotilde, princesse chrétienne, qui tenta alors en vain de convertir son mari au christianisme.

En 496, Clovis livra un combat décisif contre les Alamans. Il était en mauvaise posture, malgré ses appels à tous les dieux de la Guerre. Il se serait alors exclamé : « Dieu de Clotilde, si tu me donnes la victoire, je me convertirai. » Clovis sortit vainqueur de la bataille de Tolbiac, se fit baptiser et adopta le lys sur champ azur comme nouvel emblème. Les trois pétales du lys (qui ressemble davantage à un iris) symbolisent la foi, la sagesse et la chevalerie. Ces deux dernières valeurs, placées à droite et à gauche, protègent la foi, au centre, qui dépasse les deux autres.

Le bleu (ciel) et le blanc (pureté) sont les couleurs de la royauté depuis le Ve siècle.

Pourquoi évoque-t-on la loi salique ?

Cette ancienne « loi » germanique, qui date des premières heures du Moyen Âge, tire son nom des Francs Saliens, établis sur la rive droite du Rhin vers l'an 425, et venus plus tard s'implanter en France. Même s'il n'en était pas l'instigateur, Clovis la fit rédiger peu avant sa mort. Cette loi de la terre salique réglait les droits de succession, les biens fonciers (terres ou château) ne pouvant échoir qu'aux mâles. Les juristes s'appuyèrent plus tard sur cette loi pour évincer les femmes de la succession royale. La loi salique fut notamment invoquée après la mort des fils de Philippe le Bel (le trône était revendiqué par le roi d'Angleterre, issu de la fille de Philippe le Bel), et son application conduisit à la guerre de Cent Ans.

Pourquoi le nom de « clepsydre » ?

Syrien hellénisé, Andronicos (Ier siècle avant J.-C.) érigea à Athènes une tour des vents qui contenait une horloge hydraulique, dont l'eau était fournie par la source Klepsudra. Cette horloge, puis les suivantes, prirent le nom de *klepsudra*, ou « clepsydre ».

Et ceux de « musée » et d'« académie » ?

« Musée », « muséum », nous viennent de *mouseion*, le « lieu des Muses ». Le *mouseion* fut la deuxième université connue de l'histoire, après la fameuse « académie » de Platon (origine du mot : le jardin d'Academos, où Platon rassemblait ses disciples). De fait, l'« académie » réunit des hommes qui se proposent d'encourager et de propager le savoir intellectuel. Dans le *mouseion*, chaque Muse représentait son art, sa « faculté » (d'où l'emploi de ce terme, aujourd'hui, pour désigner les domaines de recherche à l'université).

Pourquoi avoir nommé « phares » les lumières des voitures ?

À l'origine, *pharos*, ou *phaar*, désignait une toile fabriquée dans une île proche d'Alexandrie. L'île prit bientôt le nom de cette toile de luxe dont tous les commerçants du Bassin méditerranéen étaient si friands. L'île donna naturellement son nom à la tour lumineuse d'Alexandrie érigée juste en face. Le mot « phare » fut ensuite adopté pour désigner toutes les tours de ce genre et, par extension, les lumières des automobiles.

Ne pas confondre, étymologiquement parlant, avec « pharaon », l'un des titres des rois d'Égypte (*Pharaoh* dans la Bible), créé par les Hébreux à partir du mot *paroui-aoui* (« double palais »).

À propos, pourquoi la bibliothèque d'Alexandrie était-elle célèbre ?

La bibliothèque d'Alexandrie, la plus importante du monde antique, recelait les manuscrits les plus rares et comptait 700 000 volumes, chiffre impressionnant pour l'époque.

Un historien arabe du XIIIe siècle rapporte que, lorsque les manuscrits de la bibliothèque d'Alexandrie furent brûlés par Amr Ebn el-Ass (Amrou) sur ordre du calife Omar, ils servirent à chauffer pendant six mois les 4 000 bains publics de la ville.

Pourquoi la prison médiévale de l'île de la Cité, à Paris, a-t-elle été nommée « Conciergerie » ?

Au XIe siècle, Robert II dut restaurer son palais, après les différents sièges qu'il avait subis.

À la demeure royale, il ajouta un bâtiment affecté à la résidence du « concierge du palais ». Cet officier, parfois désigné sous le nom de « comte du Cierge », était chargé de faire exercer par les baillis la basse et la moyenne justice. Il jouissait, en contrepartie, de nombreux privilèges (comme par exemple celui de percevoir un impôt à son profit sur chaque tonneau de vin ou muid d'avoine). La Conciergerie fut transformée en prison dès 1392 mais conserva son nom.

Pourquoi n'aime-t-on pas être victime d'un « coup de Trafalgar » ?

Synonyme de coup imprévu et souvent désastreux, cette expression doit son existence à l'amiral Nelson qui, avec sa flotte anglaise de 27 unités, attaqua par surprise, le 21 octobre 1805, les 33 navires espagnols et français commandés par le duc de Gravina et l'amiral de Villeneuve face au cap de Trafalgar (au nord-ouest du détroit de Gibraltar), les détruisant complètement. Le triomphe de Nelson (c'est l'une des premières défaites de Napoléon) lui valut un retentissement considérable, et l'on ne parla plus en Europe que du « coup de Trafalgar ».

Pourquoi la « cheftaine » doit-elle son nom aux croisades ?

Les enfants qui chérissent leur cheftaine le temps des colonies de vacances ne savent sans doute pas que *chevetaine* est la forme ancienne et dialectale de « capitaine » des croisés. Pour la première fois, les combattants venus de toutes les parties d'Europe furent réunis en une seule grande armée dont le commandement était notamment assuré par des « barons *chevetaines* ».

Pourquoi évoque-t-on l'anneau de Polycrate ?

Évoquer l'anneau de Polycrate, c'est dire : « Prenez garde ! la Fortune s'irrite d'un bonheur trop constant. »

Polycrate (VIe siècle av. J.-C.) gouvernait l'île de Samos, alors la plus puissante des îles Ioniennes. Tout ce que ce tyran avait entrepris pour avilir et soumettre son peuple lui avait réussi et de fait il s'était en outre rendu maître de plusieurs îles de la mer Égée, ainsi que des villes de la côte d'Asie Mineure. Un jour, le roi d'Égypte Amasis lui écrivit : « Vos prospérités m'épouvantent car une divinité jalouse ne souffre pas qu'un mortel, quel qu'il soit, jouisse d'une félicité inaltérable. » Pour conjurer par anticipation le mauvais sort, Polycrate jeta dans la mer un anneau de très grand prix. Mais le destin lui renvoya l'anneau dans le ventre d'un poisson qu'on lui servit quelques jours plus tard. Persuadé que le malheur ne pouvait l'atteindre, Polycrate baissa sa garde et se rendit à l'invitation du gouverneur des Sardes, séduit par la promesse de trésors et de nouvelles conquêtes. Mais, arrivé chez son hôte, il fut arrêté et mis en croix.

D'où vient la célèbre « lanterne de Diogène » ?

Diogène le Cynique vécut en Grèce entre 410 et 322 environ avant J.-C. Ayant renoncé à tous les biens terrestres, il élut domicile dans un tonneau, ne portant qu'un manteau doublé pour s'y envelopper la nuit, et une écuelle pour mendier sa nourriture. Clamant que l'homme a oublié l'essentiel, il se promenait en répétant : « Je cherche un homme », en plein jour et une lanterne à la main, pour bien montrer qu'il ne s'en trouvait aucun. À quelqu'un qui un jour lui lançait : « Tu ne sais rien et tu fais le philosophe », il répondit : « Mais simuler la sagesse, c'est être philosophe. »

Pourquoi la « compagnie » était-elle à l'origine une famille élargie ?

Dans l'esprit guerrier de jadis, le lien de sang, qui incluait l'ensemble de la parenté, impliquait la notion de coresponsabilité et de solidarité familiale (responsabilité de tous pour la faute d'un seul, vengeance du groupe quand un seul était atteint).

Parallèlement à ce lien moral inaliénable il en existait un autre, qui unissait étroitement deux ou plusieurs amis entre eux et reposait sur l'idée d'assistance mutuelle : la compagnie. Le **compagnon** était l'ami intime, celui avec lequel on cherchait aventure, avec lequel on livrait bataille, sur lequel on pouvait compter... Amitié virile qui n'excluait pas les rapprochements homosexuels, comme c'était le cas chez les Grecs.

Pourquoi crie-t-on : « Mort aux vaches ! » aux forces de l'ordre ?

Ce cri de guerre nous vient... de la Première Guerre mondiale. La frontière allemande était gardée par des *Wachen* (« gardes », en allemand), qui se tenaient dans une guérite surmontée de l'inscription du mot *Wache* en belles lettres. Les Français n'hésitaient pas à faire l'amalgame entre *Wache* et « vache ». Ils insultaient l'ennemi par un « Mort aux vaches ! » qui était un appel à peine déguisé à en finir avec lui. Par extension, cette insulte a été détournée de sa fonction première pour être dirigée contre les forces de l'ordre.

Pourquoi certaines petites fenêtres sont-elles appelées « vasistas »?

Puisque nous en sommes à la langue germanique, notons que le mot « vasistas » nous vient également de l'allemand... bien que ce soit nos aïeux qui le leur aient inspiré. À l'époque où la France occupait leur territoire, les Allemands n'ouvraient plus leur porte sans savoir qui frappait ; ils regardaient donc d'abord par une petite ouverture à un battant pratiquée dans la porte, en demandant : *« Was ist das ? »* (« Qu'est-ce que c'est ? ») On appela très vite « vasistas » ces petites fenêtres, en Allemagne... puis en France.

Pourquoi la devise du roi d'Angleterre est-elle « Dieu et mon droit »?

Les armoiries royales d'Angleterre sont surmontées par la devise en français « Dieu et mon droit ». Richard Ier (Cœur de Lion), voulant signifier qu'il n'était pas le vassal de la France et que seul Dieu lui avait donné son titre, la fit sienne avant la bataille de Gisors. Toutefois, c'est Henri V, au XVe siècle, qui en fit la devise du trône d'Angleterre.

Pourquoi l'ordre de la Jarretière a-t-il pour devise « Honni soit qui mal y pense »?

Cet ordre de chevalerie anglais fut institué en 1348 par le roi Édouard III, venant enrichir les armoiries royales.

La curieuse devise « Honni soit qui mal y pense » qui y est inscrite aurait été prononcée pour la première fois lors d'une fête, en 1347. La comtesse de Salisbury ayant perdu sa jarretière pendant une danse, le roi Édouard, qui l'avait ramassée, fut surpris la tenant en main. Pour couper court aux moqueries et aux rumeurs, il aurait déclaré : « Honni soit qui mal y pense ! », puis attaché le ruban autour de son propre genou : il montrait ainsi que la jarretière serait tenue dans la plus haute estime.

Pourquoi évoque-t-on les « délices de Capoue » ?

Capitale de la Campanie, fondée, dit-on, par Capys, compagnon d'Énée, Capoue doit sa renommée à Hannibal. Profitant de la déroute des Romains, le Carthaginois décida de marcher sur Rome. Sur son passage, Capoue, la deuxième ville d'Italie, ne fit aucune résistance et ouvrit ses portes au vainqueur. Le général et son armée y passèrent l'hiver entier, profitant de l'opulence et des plaisirs dont la belle cité regorgeait. Au point que ses soldats s'y laissèrent corrompre par les vins fameux et les jouissances faciles. Hannibal ne put jamais prendre Rome. S'adonner aux « délices de Capoue », c'est se laisser aller à des plaisirs amollissants.

Pourquoi un objet trouvé n'est-il à vous qu'au bout d'un an et un jour ?

Cette coutume nous a été transmise par la féodalité : un seigneur de grande noblesse offrait une terre à un vassal de rang inférieur en échange de ses services dans les campagnes militaires. Mais il arrivait fréquemment que par cupidité certains se fassent vassaux de plusieurs seigneurs et que, l'heure de l'ost (service militaire) venue, ils se soient déjà engagés au service d'un autre seigneur, ne pouvant dès lors remplir leur contrat. En conséquence, on instaura un système de « préférence » : au cours d'une cérémonie officielle, le vassal, genou à terre, se « donnait » au seigneur et promettait l'*ost* de 365 jours. Le seigneur acceptait l'hommage mais ne consentait en échange au vassal qu'un don symbolique (de la terre dans un coffret, une clé, un bâton...). La terre ne devenait donc effectivement sienne que le lendemain de l'année écoulée, soit le 366e jour. Durant tout ce temps, le vassal devait rester au service exclusif de ce seigneur. Cette pratique se perpétua pendant les croisades : un territoire d'Orient n'appartenait définitivement à son récipiendaire que s'il l'avait gardé en paix et défendu durant un an et un jour. Cette mesure fut prise parce que nombre de croisés, par couardise, s'enfuyaient en abandonnant tout à l'ennemi au lieu de défendre leur bien, ne revenant qu'une fois le danger écarté pour reprendre possession du bien attribué.

Pourquoi le mot « aubaine » ?

D'après les lois de Guillaume le Conquérant, un serf qui avait passé un an et un jour dans une ville bourgeoise était affranchi ; en Bourgogne, s'il venait résider un an et un jour sur la terre d'un autre seigneur, il devenait *aubain* pour passer sous la dépendance du nouveau seigneur... Issu du francisque *aliban* (« d'un autre ban »), le droit d'*aubaine*, apparu au XIIe siècle, et qui signifie : prise de possession de l'étranger vivant depuis un an et un jour sur les terres d'un seigneur, constituait pour celui-ci un profit inattendu, autrement dit... une aubaine.

Pourquoi tout combattant levait-il la visière de son heaume avant le combat ?

Au Moyen Âge, avant de combattre, les adversaires levaient la visière de leur heaume afin de montrer leur visage. C'était une forme de salut (étant armés, ils ne pouvaient se saluer de la main) et également une façon de s'identifier.

À propos de heaume, pourquoi l'expression « clouer le bec » ?

Le casque d'armes qui couvrait la tête des combattants change de nom d'une époque à l'autre (heaume, salade, armet...). La partie qui protégeait l'avant du visage et qui s'ouvrait était appelée nasal, bassinet ou visière. Certains bassinets avaient la forme d'un bec d'oiseau. Ainsi, dire d'un ennemi qu'on allait lui « clouer le bec » était une manière d'affirmer qu'on allait le réduire au silence sans qu'il ait eu le temps de réagir. Le sens de l'expression s'est ensuite étendu à la simple action de couper ses moyens à quelqu'un, comme on le fait des volatiles en les forçant à se taire par simple pression de la main.

Pourquoi nomme-t-on « poltron » un homme lâche ?

Sous le règne des empereurs Valens et Valentinien, certains hommes se coupaient le pouce de la main droite pour échapper au service militaire. Une loi fut promulguée pour condamner ceux qui auraient recours à cet expédient, et ces lâches furent désignés sous le nom de « poltron », contraction de *pollex truncatus,* « pouce coupé », et altération de *pol trunc* en *pol tron*).

Pourquoi dit-on de quelqu'un que c'est un « mécène » ?

Caius Cilnius Mæcenas était un chevalier romain (v. 69 av. J.-C.) qui, grâce à son amitié personnelle avec l'empereur Auguste, encouragea et développa les arts (Virgile ou Horace ont bénéficié de sa protection). Fidèles à l'exemple de Mæcenas (Mécène, par transcription en français), tout au long de l'histoire, les seigneurs et nobles, les riches marchands et les pontifes ont encouragé les arts, développé les bibliothèques, recueilli des manuscrits rares et des objets précieux, faisant notamment des cours de véritables centres culturels.

Pourquoi la Joconde fut-elle baptisée ainsi ?

Le mystère entourant l'identité du modèle de ce tableau célébrissime n'est toujours pas résolu : pour d'aucuns, il s'agirait d'Isabelle d'Este, qui régnait à Mantoue lorsque Léonard de Vinci y séjourna ; pour d'autres, celle que les Anglo-Saxons ont baptisée Mona Lisa aurait été une maîtresse du peintre, ou l'un de ses amants représenté sous les traits d'une femme ; pour d'autres encore, ce serait un autoportrait de l'artiste... Les deux hypothèses les plus plausibles restent ou bien qu'il s'agirait de l'épouse d'un gentilhomme florentin,

Francesco Del Gioccondo, ou bien que le modèle devrait son nom au latin *jucunda*, que l'on traduit par « aimable » ou « agréable », en raison du fameux sourire de cette jeune inconnue.

Pourquoi la Légion étrangère défile-t-elle avec un tablier et une hache sur l'épaule ?

À les voir défiler sur les Champs-Élysées, on penserait à... des bouchers. Or, il s'agit des « bâtisseurs », groupe de légionnaires chargés des travaux de construction et, par conséquent, d'abattre des arbres. D'où la hache, ainsi que le tablier en peau de buffle, pour se protéger des coupures et éclats de bois.

Pourquoi donne-t-on du « mon » aux militaires en les saluant ?

En fait, seuls les hommes disent « mon » avant de décliner le grade de l'officier qu'ils saluent. Les femmes disent simplement « colonel », « général ». Le « mon » n'est pas ici un pronom possessif, mais simplement l'abréviation de « monsieur ».

Pourquoi le salut militaire ?

Le salut était en premier lieu échangé en signe de paix. Deux guerriers se croisant sans intention hostile, pour preuve de l'innocence de leurs intentions, levaient la main droite, paume ouverte, afin de montrer qu'ils ne tenaient pas d'arme.
Cette tradition s'est perpétuée, engendrant le salut militaire.

Pourquoi s'exclame-t-on : « Malheur aux vaincus ! »...

Les Gaulois, ayant vaincu les Romains, pillèrent, saccagèrent et incendièrent Rome (v. 390 av. J.-C.). Seuls quelques braves avaient trouvé refuge au Capitole, où ils se fortifièrent. Au bout de six mois de siège, ces Romains, affamés, perdirent courage et cherchèrent à négocier un arrangement. Brennus, le général gaulois, demanda le paiement de mille livres d'or contre la promesse que les Gaulois quitteraient Rome. Mais, lors du paiement, ceux-ci se servirent de faux poids et trichèrent ouvertement. Devant le dictateur Camille, Brennus jeta dans le plateau son épée et son baudrier en s'exclamant : « Malheur aux vaincus ! » Voyant cela, Camille reprit l'or du tribut, rétorquant : « Les Romains rachèteront leur patrie avec le fer, et non pas avec l'or ! »

... et parle-t-on des « oies du Capitole » ?

Camille voulut faire part de sa décision aux Romains encore retranchés sur le Capitole ; Pontius Cominius s'offrit pour cette périlleuse mission et, parvenant à tromper la vigilance des Gaulois, gravit un rocher très escarpé pour rejoindre secrètement ses compagnons. Mais les herbes couchées et la terre éboulée en plusieurs endroits dévoilèrent aux Gaulois ce passage accessible. Ils résolurent de s'engouffrer dans la place par cette voie afin de surprendre les Romains. Mais c'était compter sans les oies du Capitole (que les Romains élevaient comme chiens de garde parce qu'elles ont l'ouïe encore plus fine) : poussant de grands cris, elles réveillèrent les Romains, qui purent ainsi vaincre leurs ennemis. En mémoire de cet événement mémorable, les oies étaient promenées en triomphe tous les ans dans la ville de Rome.

Pourquoi le mot « pékin » ?

Usité surtout dans l'armée, ce terme désignait les *piquini* ou *piquichini*, les mauvais soldats d'origine italienne (souvent à pied) qui se livraient à la maraude. Leur nom devint un terme de mépris dans les armées. Ainsi, les soldats du temps d'Henri III et d'Henri IV y recoururent pour conspuer leurs ennemis, étrangers ou adversaires en religion... *Piquini* devint ensuite « pékin » par francisation. Mais « pékin » (ou « péquin ») pourrait également avoir pour origine le latin *paganus* (« paysan », par opposition à « soldat »). D'autres lui donnent pour origine le mot espagnol *pequeño*, « petit ». En tout cas, les saint-cyriens affectionnent particulièrement ce terme.

Pourquoi une queue de cheval surmonte-t-elle certains étendards ?

Dans l'Empire ottoman, la queue de cheval était l'insigne caractéristique des pachas, et le nombre des queues augmentait avec la dignité. Il y avait par conséquent des pachas à une, deux ou trois queues, grade très élevé dans la hiérarchie (seul le grand vizir avait le droit d'arborer cinq queues).

Cette tradition rappelle le souvenir d'une victoire mémorable, obtenue quand tout semblait perdu : l'armée était en déroute, le drapeau perdu, et le général désespérait de rallier ses hommes. Il eut alors l'idée de couper la queue d'un cheval et de la fixer au bout de sa lance, qu'il brandit pour rassembler ses soldats. Ceux-ci se rallièrent au nouveau drapeau, se battirent avec acharnement et remportèrent la victoire. En souvenir de ce fait d'armes, les Turcs donnèrent à la queue de cheval une place d'honneur au bout des étendards.

Pourquoi certains jeux sont-ils dits de « hasard » ?

Ce mot est une altération de l'arabe *az-zahr*. Lors de la première croisade, les chrétiens s'emparèrent d'une forteresse de ce nom, où ils découvrirent le jeu de dés, qu'ils appelèrent *hasart* (du nom du lieu). Ce sens de « jeu de dés », dominant en ancien français, s'étendit ensuite à l'ensemble des jeux incluant le risque ou la chance, déjà très goûtés au Moyen Âge.

Pourquoi évoque-t-on « la beauté du diable » ?

Avoir « la beauté du diable », c'est être jeune, par allusion au diable qui, du temps de sa jeunesse, avant d'être précipité en enfer pour s'être rebellé contre Dieu, figurait au rang des anges du Ciel. C'est d'ailleurs en échange de cette promesse de jeunesse éternelle que Faust vend son âme au diable. La jeunesse, c'est le moment de l'existence où même les physionomies les plus insignifiantes ne sont jamais tout à fait laides, et posséder l'éclat de la jeunesse, c'est avoir la beauté.

Pourquoi traite-t-on certaines filles de « midinettes » ?

C'est ainsi que l'on nomme les jeunes filles futiles et naïves. Au contraire des femmes plus mûres ou plus sensuelles, ces jeunes filles sont celles qui n'aspirent qu'à une « dînette à midi ».

Pourquoi le 1er avril est-il jour du « poisson d'avril »?

En 1564, Charles IX voulut faire commencer l'année au 1er janvier dans tout le royaume. Pour se moquer de ceux qui continuaient de fêter l'an le 1er avril, on leur faisait des farces. Ainsi naquit le « poisson d'avril », jour des fous, de ceux qui n'acceptaient pas la réalité. Et pourquoi le poisson ? Peut-être à cause de l'ouverture de la pêche, de l'*Ichtus* chrétien, ou du signe zodiacal, qui s'achève vers ce moment-là de l'année...

Pourquoi les musulmans ne mangent-ils pas de porc?

Le porc, déclaré « animal impur » par le Coran, répugne aux musulmans, car il mange n'importe quoi et vit dans la fange. Le vin, parce qu'il est parfois coloré au sang de porc, est également déclaré boisson impure (en plus de ses effets jugés pernicieux).

Pourquoi les Indiens d'Amérique scalpaient-ils leurs ennemis?

Selon les croyances indiennes, le Grand Esprit (Manitou), pour hisser au ciel les guerriers tués au combat, les attrapait par les cheveux. Voilà pourquoi les Indiens portaient les cheveux longs. En scalpant leurs ennemis, ils pensaient les priver du séjour céleste.

Pourquoi dit-on du bon roi Dagobert qu'il a « mis sa culotte à l'envers »?

La chansonnette ne raillait pas le roi sans motif. En effet, Dagobert était très fragile des intestins. Ainsi, lors des campagnes, lorsqu'une envie urgente le prenait, il sautait de son cheval et se cachait derrière un fourré. Le combat continuant, il se dépêchait de remettre sa culotte pour y retourner, sans toujours se soucier de l'endroit ou de l'envers. D'où les moqueries de ses proches et cette chanson, très fidèle à la réalité !

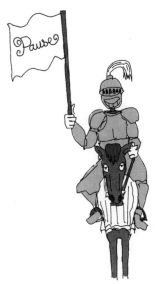

Pourquoi ne peut-on se recueillir sur la dépouille de Saint Louis ?

Saint Louis est mort de la peste au cours de sa deuxième croisade, en 1270, à Tunis. Sa dépouille ne pouvant être rapatriée en raison de la chaleur et du trop long voyage de retour, on la fit bouillir dans un mélange d'eau et de vin pour séparer les os et la chair, que l'on embauma. Les os et le cœur embaumé furent placés dans une châsse destinée à être rapportée en France. Mais l'armée, y associant la protection divine, ne voulut pas être privée du trésor des reliques du saint roi et garda la châsse. Charles, roi de Sicile, demanda la chair et les entrailles, qui furent portées à Palerme avec honneurs et dévotion. Enfin, la châsse contenant les os et le cœur revint en France par la mer, et le cortège funèbre fut accueilli à Paris le jeudi 21 mai 1271. Le cœur de Saint Louis, selon la légende, fut placé sous l'une des marches du palais royal, et ses os furent dispersés pour être vendus ou offerts en guise de reliques. Une partie des reliques dispersées a toutefois pu être réunie par la suite et repose en la basilique Saint-Denis.

Pourquoi les jeunes filles laissaient-elles tomber leur mouchoir en passant devant un homme ?

Cette coutume nous vient d'Orient ; le sultan, parfois, se plaisait à hésiter longuement entre plusieurs femmes de son harem avant de laisser enfin choir un carré de voile devant celle qu'il avait choisie pour la nuit.

En Occident, il fut un temps où il eût été scandaleux pour une femme ou une jeune fille de dire son inclination ouvertement à un jeune homme ; il n'était pas convenable non plus de prendre l'initiative d'engager la conversation. Ainsi, pour signifier au bel inconnu qu'il lui plairait de faire sa connaissance, la belle, en passant devant lui, laissait tomber son mouchoir, comme le sultan. En le lui rapportant, le jeune homme lui adressait la parole le premier, et ainsi la conversation pouvait s'engager.

Pourquoi Cendrillon a-t-elle été parée de chaussures de verre ?

Si Walt Disney n'en avait fait un objet de rêve, cristallin et scintillant comme le diamant qui sied à une princesse, certains n'auraient pas oublié que Cendrillon portait en fait des chaussures de... vair.

Peut-on d'ailleurs imaginer une jeune fille du Moyen Âge chaussant des escarpins de cristal ? Essayez donc, pour voir ! Au Moyen Âge, la fourrure était courante dans l'habillement : on disposait de beaucoup de petit-gris (dos de l'écureuil) ; le **vair** était constitué de bandes alternant la fourrure blanche du ventre de l'écureuil et celle, grise, de son dos. Ça, au moins, c'était confortable et ça tenait chaud aux petons. En revanche, pour ce qui est de l'élégance... on comprend Walt Disney !

Pourquoi la flûte doit-elle son invention aux bergers ?

Les bergers avaient pour habitude de garder les os des tibias des moutons (longs et cylindriques), qu'ils perçaient. Pour tuer le temps, ils jouaient de cet instrument à vent. Le tibia devint flûtiau, puis flûte.

Pourquoi les signes ♂ et ♀ représentent-ils respectivement les sexes féminin et masculin ?

Le signe ♀ représente Vénus, la déesse de l'Amour, et le signe ♂ Mars, le dieu de la Guerre. Aussi les associe-t-on respectivement au féminin et au masculin. On trouve souvent ces signes, par exemple dans les maternités (lorsque le prénom de l'enfant n'est pas décidé) ou sur des rapports médicaux.

Pourquoi les noms de famille ont-ils vu le jour ?

À l'origine, on ne possédait qu'un prénom et l'on était fils de X ou Y. Mais le temps vint où il fallut faire le tri dans ce fouillis (il pouvait y avoir des quantités de « Jean fils de Pierre »).

Au Moyen Âge, trois moyens de différencier les hommes les uns des autres émergèrent :

– l'endroit où ils habitaient : Jean du chemin, Jean du bois, Jean du pont, Jean de la tour ;

– leur métier : Jean barbier, Jean couturier, Jean médecin ;

– un défaut ou une qualité : Jean « sans peur » (car il était courageux), Charles « le grand » (le *magne*), Jean « sans terre » (ce roi ayant eu le triste privilège de dilapider un héritage considérable en quelques années), Berthe « aux grands pieds », Pépin « le bref » (de petite taille), Richard « cœur de lion » (courageux), Hugues « capet » (il portait toujours une cape).

Ainsi commença l'histoire des « noms de famille ».

Pourquoi le mot « ghetto » a-t-il supplanté celui de « juyverie » ?

Dans tous les royaumes chrétiens, les juifs étaient délibérément isolés des autres habitants d'une ville, d'où des quartiers spécifiques, dénommés *juyverie* en France, *giudecca* en Italie, où les juifs étaient consignés, même s'ils pouvaient se mêler à la population. Ainsi stigmatisés, les répressions dont ils étaient victimes étaient facilitées.

C'est à Venise que nous devons le mot « ghetto ». On lui prête deux origines : les eaux sales issues du traitement des peaux (métier autorisé aux juifs) étaient appelées *ghetto* (de *ghettare*, « jeter »). L'usage du mot fut étendu au quartier où vivaient les juifs. « Ghetto » peut également provenir de l'abréviation de *borghetto* (« petit bourg »), sorte d'îlot urbain entouré d'un mur et fermé par une porte où l'on confina les juifs à partir de 1516. L'accès en était fermé la nuit ainsi qu'à chaque fête chrétienne.

Pourquoi de nombreux États des États-Unis portent-ils des noms indiens ?

Ce sont les Indiens peaux-rouges qui, établis dans certaines régions, ont donné leur nom à de nombreux États des États-Unis. Par exemple, « Mississippi » est issu de *missi sipi*, « grande rivière » ; *dakota* signifie « alliés », « amis » ou « peuple amical » ; « Minnesota » vient de *m'nesohdah*, « région bleue comme le ciel » ; « Wisconsin » tire son nom de *wishkonsing*, « le trou du rat musqué », et « Iowa » de *haiyohwah*, « la vallée du peuple qui bâille »...

Pourquoi le Canada porte-t-il ce nom ?

Lorsque Jacques Cartier explora le Canada, il étendit le bras pour demander à des indigènes quel était le nom des terres qu'il foulait. Les Indiens, pensant qu'il désignait leur village, lui répondirent « *kanada* ».

Pourquoi les athlètes grecs sont-ils représentés nus ?

Si vases et bas-reliefs présentent l'athlète sans vêtement, force est de constater que les représentations de déesses nues sont rares.

Aux premières olympiades, cette nudité n'était pas entière, l'athlète ayant soin d'utiliser une ceinture ou une écharpe en guise de cache-sexe (le *sodma*).

Sans le vouloir, un certain Orsippe changea les règles des jeux. Il était sur le point de gagner la course lorsque son *sodma* se délia ; Orsippe s'y prit les pieds et tomba, concédant la victoire à son concurrent.

On édicta alors un règlement obligeant les athlètes à concourir sans *sodma*. Et les femmes furent exclues des jeux, la loi prévoyant même qu'elles fussent préci- pitées du haut du mont Typaios (un rocher escarpé sur la route d'Olympie) au cas où on les surprendrait dans les stades.

Dérogeant à l'interdiction, une femme fit parler d'elle : son mari étant mort, elle s'était déguisée en maître de gymnastique pour suivre la course de son fils Pisirodos. Mais, franchissant la barrière pour aller embrasser son rejeton victorieux, elle dévoila une partie de son anatomie et fut démasquée ; par considération pour son père, son frère et son fils, tous couronnés aux Jeux olympiques, elle ne fut pas punie, mais la cité édicta une nouvelle loi obligeant les maîtres de gymnastique eux- mêmes à se présenter nus aux exercices, au moins pour certaines épreuves.

Pourquoi les noms des mois de l'année paraissent-ils incohérents ?

En effet, septembre devrait être le septième mois de l'année, octobre le huitième, novembre le neuvième…

Pour comprendre cette contradiction, il faut remonter aux Romains, qui donnaient à leurs mois des noms de consuls (comme Julius, devenu juillet, ou Augustus, devenu août) et les numéros d'ordre des mois dans le calendrier (qui faisait commencer la nou- velle année en mars). Septembre était donc bien alors le septième mois de l'année. Lorsqu'on a fixé le début de l'année en janvier, on a cependant gardé l'ancienne terminologie.

Pourquoi un fabricant de bière est-il appelé « brasseur » ?

Si les noms de « limonadier », « cafetier », « vigneron » parlent d'eux-mêmes, pourquoi le vendeur de bière a-t-il pris le nom de « brasseur » ? L'usage de la bière remonte à la haute Antiquité. Dans nos régions, l'orge broyée pour faire de la bière portait le nom de *brais* (du latin *braces*), d'où sont issus « brasseur » et « brasserie ».

Et pourquoi emploie-t-on le mot « négoce » ?

En latin, « repos » se dit *otium*. De fait, l'activité, le travail sont définis comme *nec otium* (« non-repos », devenu « négoce »). Dès l'époque romaine, l'action de faire du commerce supposait des démarches administratives, des allers-retours, des voyages, des entretiens, une activité qui ne laissait aucun repos.

Pourquoi les sages-femmes ont-elles pris ce nom ?

Si les *sapientae matronae* sont devenues « sages-femmes », femmes savantes, ventrières (marquant la région du corps qu'elles travaillent), c'est en raison de la pudeur commune au médecin et à sa patiente pour tout ce qui touchait la région génitale. Il y eut donc très rapidement répartition des tâches entre le médecin et la sage-femme, qui seule pouvait poser la main sur le ventre de la patiente et procéder à toutes autres manipulations.

Le célèbre Avicenne avait d'ailleurs recours à l'*obstetrix* (« sage-femme ») pour les accouchements, et Abulcassis lui apprenait des actes chirurgicaux ; il désignait l'instrument à introduire dans la matrice et il lui arrivait même de mettre en place l'instrument, mais c'est la sage-femme qui poursuivait, sous sa surveillance. L'éducation sexuelle des jeunes filles relevait également des ventrières, car il eût été indécent de faire appel à un médecin en ce domaine.

La sage-femme est donc une auxiliaire savante du médecin en gynécologie et obstétrique.

Pourquoi les dalles funéraires de nos cimetières sont-elles couchées ?

Une fois encore il faut revenir au Moyen Âge pour trouver l'origine de la dalle funéraire couvrante, imposée dès le IXe siècle aux juifs et aux chrétiens comme une mesure discriminatoire par les musulmans. Ces derniers, qui honoraient de « pierres levées » leurs propres défunts, imposèrent aux autres des pierres couchées, par mépris pour ces infidèles et leur statut marginal dans la société.

Pourquoi les armoiries sur le bouclier ont-elles pris le nom de « blason » ?

« Blason » (apparu au XIIe siècle) nous vient de l'allemand *blasen* (sonner du cor) parce que, dans un tournoi, l'écuyer ou le page d'un chevalier sonnait du cor pour appeler le héraut d'armes à venir reconnaître ses armoiries.

Pourquoi tant de noms si différents (bohémiens, gitans, tziganes...) pour désigner les « gens du voyage » ?

Ces peuples nomades, arrivés en Europe au commencement du XVe siècle, étaient issus de tribus de l'Hindoustan chassées par l'envahisseur Timour Lang (Tamerlan), continuateur des Mongols. Ils pénétrèrent en France vers 1427 et, comme ils arrivaient de

Bohême, on les appela « bohémiens ». Ils se nommaient parfois eux-mêmes *Zigeuner* (nom qui leur est resté en allemand), devenu « tsiganes » ou « tziganes » en français, *zingari* en italien. Le mot « gitan » est dérivé de l'adjectif « égyptien », tout comme le *gitano* espagnol ou le *gypsy* anglais, et reflète une ancienne croyance sur leur origine.

TABLE DES SUJETS

La religion ?????????????????????????? 7

Les animaux ????????????????????????? 19

Les noms propres ????????????????? 31

Paris ??????????????????????????????? 41

Le langage ????????????????????????? 47

Les vêtements ?????????????????????? 63

Les métiers ???????????????????????? 69

Quelques expressions courantes ????? 77

L'ambition ????????????????????????? 93

L'histoire ???????????????????????? 99

Conception graphique : **Corinne Liger-Marie**
Illustrations et mise en pages : **César Drouin**

Imprimé en France par EMD
Dépôt légal : février 2007
N° d'édition : 927/04 – N° d'impression : 19168
ISBN 978-2-7491-0927-5
Suite du premier tirage : avril 2008